Ofélia

Ofélia

O Sabor do Brasil

APRESENTAÇÃO

Josimar Melo

FOTOGRAFIAS

Sergio Pagano

DESIGN

Victor Burton

DBA

Primeira impressão, inverno de 1996

Editores
Alexandre Dórea Ribeiro
Walter Weiszflog

Coordenação geral
Maiá Mendonça
Adriana Amback

Coordenação executiva
Adriana Amback

Designer assistente
Miriam Lerner

Texto das receitas
Adriana Amback
Cecília Salomão

Produção culinária
Cecília Salomão

Direção de arte das fotos
Sergio Pagano

Produção fotográfica
Paula Zaroni

Assistente de fotografia
Dempsey Gaspar

Revisão de texto
Plural Assessoria

Produção gráfica
Victor Burton Design
Estúdio DBA

Fotolito
Mergulhar Serviços Editoriais

Impressão e acabamento
Gráfica Melhoramentos

AGRADECIMENTOS

Aleotti

Ao Mofo Elegante

Arte Nativa Aplicada

Arunã

Casa Nobre

Chinon

Designers

Doroti Riotto

Empório Santa Maria

Estação Saudade

Euroville Antiqüa

Four Winds

Jorge Pessotti

Ladelli

Macau

Sèvres

Stella Ferraz

Taki Ó

Tri Art

Vila Rica Artesánato

Willian & Gilbert

A Beth, minha filha, a Antônio Jorge,   meu genro, e a meus netos   Juliana e Rodrigo com muito carinho

Sumário

Doces e Docinhos

Pães e biscoitos

Yes, nós já temos

riso arboreo italiano, foie-gras fresco francês, tartufos brancos, azeite extravirgem, cuscuz italiano, queijos importados de todos os quadrantes... Parece que quase nada mais falta para a felicidade dos gourmets: os mais finos ingredientes da cozinha internacional podem ser encontrados em incontáveis delikatessen pelas grandes cidades do Brasil.

Mas... e o que dizer do caldo de tucupi? Da manteiga de garrafa? Do crocante biju? Da farinha d'água? Do pequi?

Parece brincadeira, mas em cidades como São Paulo os ingredientes típicos da cozinha regional brasileira são mais difíceis de encontrar do que um pacote de macarrão de arroz importado do Japão. E, no entanto, estou certo de que a maturidade culinária praticada no Brasil depende menos das iguarias exóticas (e deliciosas!) dos países distantes do que da assimilação da própria cozinha brasileira – tão saborosa, mas ironicamente quase esquecida entre nós. Pois sem o domínio das bases da nossa alimentação, que compõem a herança da nossa cultura gastronômica, duvido que se possa chegar muito longe em termos de criatividade culinária, por mais que as técnicas da alta cozinha mundial possam ser aprendidas por qualquer bom chef. Longe de mim qualquer preconceito chauvinista. Em toda arte, como a arte culinária, a presença de manifestações da cultura internacional só pode ser benéfica. À mesa, particularmente, como lamentar o acesso à produção de outros países, ainda mais daqueles que guardam a grande arte da cozinha, referências indispensáveis aos chefs amadores e profissionais, e ao paladar dos quantos se deliciem com a boa mesa? Não se trata de negar as delícias de outros povos.

Apenas entender que fazemos parte desse grande caldeirão de sabores – e se não prezarmos nós mesmos nossas aquisições, ninguém mais o fará. Elas se perderão. Apreender a cozinha brasileira não é um gesto automático, como almoçar e jantar todo dia. Pois a cozinha regional não é a que se encontra na mesa cotidiana de norte a sul do país. A história de nossas influências, de nossos hábitos culinários manifesta-se de forma diferenciada em cada região, e, freqüentemente, só aparece em todo o seu vigor nos momentos de festa, de comemoração. De comunhão à mesa. E se manifesta de acordo com múltiplas tradições, que urge preservar.

A cozinha mais nativa, mais autenticamente brasileira por sua raízes, vem do norte: na Amazônia colocam-se no prato os ingredientes indígenas ainda em estado quase bruto – a mandioca e seus derivados, os peixes de rio, os frutos e frutas silvestres.

Na Bahia, aprende-se um pouco de história da época da escravidão e da colonização. Ingredientes e temperos africanos dão aromas e coloridos particulares aos pratos condimentados, que são inesquecíveis – pelo sabor e pelos efeitos – para quem os experimenta pela primeira vez.

Das Minas Gerais vem a assimilação da influência portuguesa moldada pela presença dos escravos no ciclo da mineração, resultando numa cozinha rústica mas cheia de segredos e soluções inventivas, do andu ao milho, ao tutu, ao frango com ora-pro-nóbis, ao milagre do torresmo.

O sul do país irmana o Brasil aos povos vizinhos através do churrrasco, marca registrada dos gaúchos do pampas. No centro-oeste os peixes de rio ornam as mesas ao lado de caças mais ou menos proibidas. No nordeste, a cozinha caipira se mescla aos frutos do mar, e por todo o Brasil cada santo com suas idiossincrasias – mas todas elas quase esquecidas, soterradas principalmente na maioria das metrópoles, onde é mais facil encontrar, por exemplo, uma sopa chinesa de barbatana de tubarão do que uma sopa brasileira de piranha.

A publicação de um livro com receitas brasileiras é um alento para os que temem pela sorte de nossas raízes. E a força da empreitada se reforça com a assinatura de Ofélia Ramos Anunciato. Ofélia é uma pioneira na popularização de receitas culinárias no Brasil. Aliás, em termos de mídia eletrônica, ela é a pioneira não apenas no Brasil – onde mantém seu programa de televisão há quatro décadas – mas está entre as primeiras, e certamente entre as mais longevas, no mundo. O sucesso na TV catapultou o sucesso literário de Ofélia: seus livros são best-sellers em todo o país.

Ofélia vem fazendo de seu programa um palanque de divulgação de receitas do cotidiano, de pratos triviais, de fórmulas que retratam a miscigenação de culturas que hoje conforma o Brasil. Que sua popularidade entre telespectadores e leitores seja canalizada para a divulgação de pratos que fazem parte da nossa história, emoldurada por uma qualidade de edição normalmente reservada a obras com outros sotaques, é algo respeitável. A ser comemorado com garfos e facas em riste.

Josimar Melo

Ofélia Ramos Anunciato

Meus Amigos e minhas Amigas de todo o Brasil

Este ano completo trinta e nove anos de profissão, trinta e nove anos de *A cozinha maravilhosa de Ofélia*. São tantas as histórias, tantas as lembranças! Às vezes, quase sem querer, me pego recordando, voltando no tempo... Quando tudo começou?

Desde criança eu me interessava pela cozinha. Lembro-me da fazenda da minha avó Maria, em Garça. Toda dia ela acordava bem cedo para dar ordens pro hortelão. Eu era pequenininha, uns seis ou sete anos, e ia atrás dela, bem quietinha, me escondendo atrás dos pés de couve. Uma dia, apesar de todo o meu cuidado, ela me pegou e disse: "Por que você veio atrás da vovó?" E eu respondi: "Porque quero saber o que nós vamos comer". Minha avó nunca esqueceu essa história.

Desde criança vivi cercada de Marias. Elas me ensinaram a cozinhar: Maria Teixeira Ramos,

minha avó paterna; Maria Marques, minha avó materna; e Maria Marques Ramos, minha mãe. Com minha avó Maria Teixeira Ramos, aprendi a fazer pães. Dia sim, dia não, ela assava pães na fazenda de Garça, e quando o forno esfriava vinham os biscoitos. Havia também queijos caseiros e as frutas do pomar que viravam compotas e doces maravilhosos.

Minha mãe e minha outra avó Maria moravam em Mococa, na divisa de São Paulo com Minas Gerais. Minha avó fazia um bife que ficou famoso na família. Em uma frigideira grande, ela fritava os bifes e ia passando para uma outra frigideira ao lado. Depois, na primeira, fazia o molho e ia colocando os bifes de volta, um a um. Era uma delícia, com bastante molho acebolado. Fui a única a aprender esses segredos, de tanto olhar minha avó no fogão. Durante muito tempo, minhas tias pediam: "Ofélia, faz o bife da mamãe!"

Tive uma infância muito bonita. Minha curiosidade era enorme. Eu vivia atrás das barras das saias das minhas Marias, observando, aprendendo. Para mim Maria é um nome divino, o primeiro nome do mundo.

Minha primeira experiência na cozinha foi também minha primeira travessura. Acho que tinha oito anos. Mamãe e papai saíram para fazer compras e resolvi fritar três dúzias de bananas-maçã que estavam em cima da mesa. Cortei as bananas em fatias (imaginem só, quase setenta!) e fritei-as no azeite. Quando meus pais chegaram, a cozinha era uma fumaça só. Fui repreendida, mas papai achou que jogar fora tanta banana seria um desperdício e me mandou comer um prato bem grande. Enchi meu prato, comi quase tudo e ainda achei muita graça.

O tempo passou e lá estava eu morando em Santos, já casada e com a minha filha Beth. Gostava muito de cozinhar, de experimentar novos pratos junto com a minha família. Às vezes, recebia alguns amigos que iam provar meus quitutes. A mesa é o lugar perfeito para reunir a família e os amigos. Para mim a cozinha sempre foi um laboratório do lar e cozinhar um momento de muita responsabilidade.

Um dia, recebi um convite para trabalhar no jornal *Tribuna de Santos*. Eles queriam uma coluna diária sobre culinária. Fui indicada pelo avô de meu marido, que trabalhava lá. Aceitei com muita honra e tive que aprender a escrever à máquina rapidinho. Pouco depois, me chamaram para fazer um programa na Rádio Clube da cidade. Era uma revista de uma hora de duração que falava sobre problemas femininos, moda, estética facial e, é claro, culinária.

Um dia, o sr. Rebelo Jr., um dos diretores da TV Victor Costa, encontrou uma amiga minha em uma festa e perguntou:

– Essa moça que escreve no jornal, ela também cozinha?

– E como! – respondeu minha amiga. – De vez em quando vou comer nhoque na casa dela.

– Você poderia me apresentá-la?

– Pra quê?

– Pra ver se ela quer fazer um programa de televisão.

Quando minha amiga me contou essa conversa, é lógico que a resposta foi negativa:

– Não, muito obrigada, eu não sei fazer isso.

– Mas você sabe cozinhar, sabe escrever...

– Sei, mas não quero fazer televisão – respondi.

Mas o sr. Rebelo não desistiu e meu marido foi seu grande aliado. No dia seguinte, tinha um recado para eu ligar para ele. Meu marido foi telefonar.

– Convence a Ofélia, pediu o sr. Rebelo.

Num canto da sala, eu fazia um sinal para meu marido não aceitar o convite.

– Pode deixar que ela vai sim, quando é pra ir?

– Depois de amanhã vamos fazer um teste.

Foi assim que começou minha carreira na televisão. Era 1957. O prato escolhido para o teste foi tênder à Califórnia. Isso porque o sr. Rebelo tinha ganho dois tênderes e não sabia o que fazer com eles. Naquele tempo ainda não existia freezer. O teste foi bom, eu estava calma porque sabia que não tinha nenhum telespectador. Quando terminou, o sr. Rebelo me deu um conselho que nunca esqueci: "Está vendo aquela luz vermelha? Aquele é o seu público, dirija-se a ele, são as suas amigas que estão do lado de lá assistindo".

Chegou o dia da estréia no auditório da Rádio Clube. Lotado. Não fui ao cabeleireiro, nem nada. Só passaram um pozinho para tirar a sombra porque a tevê ainda era em preto-e-branco. Hoje é bem diferente, toda uma produção me acompanha. O programa entrou no ar. Preparei outro tênder à Califórnia. Eu olhava na direção da luz vermelha e o sr. Rebelo fazia um sinal afirmativo com a cabeça de que estava tudo indo bem. Eu tremia por dentro, mas disfarçava com uma cara calma que só vendo. Quando terminou foi uma chuva de palmas pra todo lado. Dei muitos autógrafos. E o tênder... Bem, não consegui levar nada pra casa, todos quiseram prová-lo. Assim nasceu *A cozinha maravilhosa de Ofélia*, na TV Victor Costa, todos os dias à uma hora da tarde.

Passados seis meses, fui convidada para trabalhar na TV Tupi de São Paulo, onde fiquei por dez anos. Dessa época me lembro de uma passagem muito engraçada. Meu programa era dentro da revista feminina apresentada pela Maria Teresa Gregori. Era antevéspera de Natal. Fiquei até de madrugada descascando castanhas para rechear um papo de peru. Arrumei minhas coisas e vim para São Paulo fazer o programa. Quando cheguei aqui, Nossa Senhora! Não gosto nem de lembrar. Esqueci uma das cestas em Santos, tinha trazido apenas a farinha de mandioca, pouquíssimo tempero e frutas secas. Encostei na parede e fui escorregando devagarzinho. Aí tive a idéia de cozinhar o pescoço do peru em rodelas, porque cozido ficava com a cor cinzenta da castanha. Antes do programa começar pedi para a câmera ficar longe e para a Maria Teresa não me perguntar nada. Mas ela, muito distraída, se aproximou (nós costumávamos conversar bastante) e perguntou, apontando para os pescoços de peru: "O que é isso?" O diretor fazia sinal para ela ficar quieta. Pisei em seu pé, ela me olhou de lado e respondi: "Castanhas... são castanhas. Mas vamos falar das festas, você já comprou seus presentes de Natal?" Maria Teresa entendeu e mudamos o rumo da conversa.

Em 1967 mudei de canal. *A cozinha maravilhosa de Ofélia* foi para a Rede Bandeirantes, onde estou até hoje. Durante esses anos a culinária evoluiu muito e eu me orgulho de ter participado dessa mudança. Quando a Nestlé trouxe os caldos Maggi para o Brasil, fui convidada para fazer parte da mesa-redonda formada para adaptar seu sabor, tipicamente suíço, ao nosso paladar. E os caldos vieram e ficaram para facilitar nossa vida. Fiz também vinte e oito UDs, inúmeras feiras, cursos de culinária e festivais gastronômicos. Foram tantos os eventos que não dá para contar.

Desses mais de trinta anos de *A cozinha maravilhosa de Ofélia* guardo algumas lembranças com muito carinho. Especialmente aquelas que vêm das minhas amigas. Um dia uma moça me escreveu dizendo que, entre todos os programas de televisão, o meu era o seu preferido: "Eu sou uma lavadeira, meu marido vende pipocas num colégio, as crianças são crianças..." Isso tudo em uma letrinha bem apertada. Ela via meu programa na televisão da vizinha e me pedia uma panela de pressão. Achei sua carta tão simples, tão bonita!

"As crianças são crianças", quer dizer, não faziam nada, eram pequeninos. Eu mandei a panela para ela.

Há uma outra passagem que também me emocionou muito. Um dia escrevi uma receita de cocada para um jornal. Muito tempo depois, recebo uma carta de uma mocinha de quinze anos dizendo que eu tinha ajudado sua mãe a criar os cinco filhos. O pai dela tinha morrido em um acidente e a mãe fazia a minha cocadinha de cortar para os filhos venderem na balsa do

Guarujá. Meu Deus! Eu chorava tanto, não consegui ler a carta até o final. Que criatura maravilhosa, essa mãe! Todos os filhos estudaram e estavam se formando. Certas coisas a gente nunca esquece.

Há uns dois anos recebi uma carta de seis médicos, que foi responsável por uma mudança em meu programa: "Querida Ofélia, gostamos demais de ver o seu programa. Agora temos uma mágoa muito grande dentro do nosso coração, sabe o que é? Por que minhas amigas e não meus amigos também?" Por isso, há dois anos, na abertura da *Cozinha maravilhosa*, sempre digo: "Bom dia, meus amigos e minhas amigas de todo o Brasil".

Ao contrário de muita gente, uma coisa que me deixa muito feliz é quando me param na rua. Chegou perto de mim, homem ou mulher, dali a cinco minutos já estamos falando de comida. "Ofélia, aquele prato que você fez essa semana, tocou o telefone lá em casa, tive que atender e perdi o final." "Ofélia, não consigo achar uma receita que você fez em novembro, era um bolo delicioso." Eu procuro atender sempre a todos. Em meu programa, nunca uso a expressão "estou ensinando", porque as pessoas têm a sua própria maneira de cozinhar, de interpretar uma receita. Sempre digo: hoje tenho uma novidade, vamos ver se vocês gostam porque é muito saborosa. Há pessoas que não comem carne, que não gostam de massas. Então, no meio da receita, procuro ensinar alguns truques. Para quem tem alguém na família que não gosta de cebola mostro como ralá-la ou fritá-la bem, para que a comida fique temperadinha e a pessoa não desconfie de nada.

Até hoje me divirto experimentando novas receitas. Minha família – minha filha Beth, meu genro Antônio Jorge e, especialmente, meus

queridos netos Rodrigo e Juliana – é minha principal cobaia. Nesses anos, quantas coisas eles já não experimentaram, gostaram ou desaprovaram. Levo muito em consideração a opinião deles e dos amigos. A gente precisa ser humilde.

Quando vou para Santos, meus netos sempre me recebem com uma listinha: "Vó, estou com vontade de comer pão de mel". E eu não resisto. Cozinhar, para mim, é um prazer e comer... mais ainda. Gosto muito de um bom cabrito recheado e de todas as massas. Também sou apaixonada por doces, especialmente os merengues, os suflês e as tortas de frutas da estação.

Em 1976, lancei meu primeiro livro *A cozinha maravilhosa de Ofélia*. De lá para cá seguiram-se muitos outros. Durante minhas andanças por esse Brasil afora, autografando livros e fazendo festivais, recolhi muitas receitas. Lembro-me de uma vez que fui fazer meu programa de televisão em Manaus. Na primeira noite teve uma festa em que várias famílias trouxeram pratos típicos. Eram três horas da manhã e eu ainda estava comendo tucunaré de capote e tantas coisas mais. Que delícia a nossa cozinha! Sempre digo que as nossas raízes são muito boas: a portuguesa, a africana e a indígena. Este livro mostra toda a diversidade de sabores, aromas e temperos da cozinha brasileira. Uma coletânea de minhas melhores receitas sobre a nossa culinária. Espero que vocês gostem.

Ofélia

Agosto de 1996

para Começar

1 kg de feijão-fradinho

sal

1 cebola grande ralada

azeite-de-dendê para fritar

Para o molho:

2 pimentas-malaguetas picadas

1 xícara de camarão seco

1 cebola picada

sal

2 colheres (sopa) de azeite-de-dendê

Coloque o feijão-fradinho de molho em uma tigela com água na véspera. Passe o feijão na máquina de moer ou no processador de alimentos. Tempere com sal e cebola. Misture com uma colher de pau até formar uma massa homogênea. Pegue porções com uma colher de sopa e frite-as em azeite-de-dendê bem quente. Escorra os acarajés em papel absorvente.

Prepare o molho: passe na máquina de moer ou no processador de alimentos a pimenta, o camarão e a cebola. Tempere com sal. Esquente o azeite-de-dendê, junte a mistura de camarão e cozinhe por 5 minutos. Corte os acarajés ao meio e recheie.

Sugestão: se você não quiser um molho muito apimentado faça um mais leve com 1 xícara de camarão seco moído, 1 cebola ralada, 2 dentes de alho, pimenta-do-reino e cominho. Cozinhe em azeite-de-dendê.

Rendimento: 40 acarajés

Acarajé

500 g de carne de siri congelada

sal e pimenta-do-reino

suco de limão

2 cebolas grandes raladas

3 dentes de alho

3 tomates sem pele picados

2 colheres (sopa) de azeite de oliva

1 colher (sopa) de azeite-de-dendê

1 maço de coentro picado

molho de pimenta

noz-moscada

2 ovos batidos

6 fatias de pão de fôrma umedecidas no leite

farinha de rosca para polvilhar

2 colheres (sopa) de queijo parmesão ralado

6 colheres (chá) de manteiga

12 conchas de vieiras

Casquinha

Descongele o siri. Lave-o no escorredor de macarrão. Aperte-o para escorrer toda a água. Tempere com sal, pimenta-do-reino e limão. Deixe tomar gosto por 30 minutos. Refogue a cebola, o alho e o tomate no azeite de oliva e no dendê. Junte a carne de siri e mexa com uma colher de pau. Acrescente o coentro, o molho de pimenta, a noz-moscada, os ovos e as fatias de pão espremidas. Continue mexendo até formar uma massa consistente.

Recheie as conchas de vieiras. Polvilhe com farinha de rosca e queijo ralado. Coloque 1/2 colher (chá) de manteiga em cima de cada casquinha. Leve ao forno quente (220ºC), preaquecido, até dourar.

Observação: se você não tiver as conchas e quiser transformar esta receita numa entrada para o almoço ou jantar, asse a massa em uma fôrma refratária untada.

Rendimento: 12 casquinhas

Empadinha de camarão

Para a massa:

1/2 kg de farinha de trigo

250 g de manteiga ou margarina em temp. ambiente

sal e 1 xícara de água

Para o recheio:

600 g de camarão

2 cebolas raladas

4 tomates picados

azeite

sal e pimenta-do-reino

2 colheres (sopa) de farinha de trigo

margarina para untar

1 gema

Prepare a massa: coloque a farinha em uma tigela. Faça um buraco no meio e acrescente a margarina, o sal e a água. Trabalhe a massa primeiro com uma colher de pau e depois com as mãos, até obter uma massa lisa.

Prepare o recheio: refogue o camarão, a cebola e o tomate no azeite por 5 minutos. Tempere com sal e pimenta-do-reino. Abaixe o fogo e junte a farinha de trigo. Misture até engrossar um pouco.

Unte fôrminhas de empada de 6 cm de diâmetro. Forre-as com a massa, coloque o recheio e cubra com outra camada de massa. Pincele com a gema. Asse em forno médio (180°C), preaquecido, até dourarem.

Sugestão: para variar, recheie as empadas com palmito, frango etc.

Rendimento: 25 empadas

Pastel de forno

Para o recheio:

queijo prato picado

sal

orégano

Para a massa:

3 xícaras de farinha de trigo

1 colher (sopa) de fermento em pó

100 g de margarina em temperatura ambiente

sal

1/2 lata de creme de leite com soro

1/4 de xícara de leite

1 ovo para pincelar

margarina para untar

Prepare o recheio: tempere o queijo com sal e orégano. Reserve.

Prepare a massa: peneire numa tigela a farinha de trigo e o fermento. Acrescente a margarina e o sal. Amasse com um garfo, adicionando aos poucos o creme de leite e o leite. Coloque a massa em uma superfície polvilhada com farinha de trigo. Amasse levemente, formando uma bola. Abra a massa, coloque o recheio (cerca de 1 colher de chá para cada pastel), e forme pastéis de 6 cm de comprimento. Para não abrir, pincele com o ovo as bordas da massa e feche os pastéis com a ajuda de um garfo. Coloque-os em uma assadeira untada com margarina e pincele-os com o ovo por fora. Leve ao forno médio (180°C), preaquecido, até a parte de baixo ficar dourada.

Rendimento: 35 pastéis

Pão de peixe

4 xícaras de peixe cozido picado

1 xícara de farinha de rosca

1 xícara de margarina derretida

1 xícara de cebolinha verde picada

1 xícara de salsinha picada

sal e pimenta-do-reino

suco de 2 limões

2 colheres (chá) de fermento em pó

óleo para untar

Misture bem todos os ingredientes. Coloque a massa em uma fôrma de bolo inglês de 25 x 14 x 7 cm untada com óleo. Leve ao forno quente (220°C), preaquecido, por 35 minutos. Deixe esfriar e sirva em fatias.

Para 8 pessoas

Polvo petisqueira

2 kg de polvo

suco de 3 limões

6 dentes de alho espremidos

1/2 xícara de azeite

1 maço de coentro picado

1 colher (sopa) de vinagre de vinho tinto

sal e pimenta-do-reino

orégano

Limpe bem o polvo. Besunte-o com suco de limão e cozinhe em água sem sal por 30 minutos. Escorra. Deixe esfriar e corte em pedacinhos.
Refogue o alho no azeite. Junte o polvo. Abaixe o fogo, acrescente metade do coentro, o vinagre e o sal. Deixe cozinhar por 2 minutos. Tempere com pimenta-do-reino e orégano. Retire do fogo e acrescente o restante do coentro. Sirva com fatias de pão.

Para 6 a 8 pessoas

Sopa de abóbora · Sopa de agrião

2 dentes de alho espremidos

2 cebolas picadas

1/4 de xícara de azeite

1 kg de abóbora madura em pedaços

2 litros de caldo de carne (ver receita na pág. 28)

1 colher (sopa) cheia de farinha de trigo

1 xícara de leite

sal e pimenta-do-reino

1 colher (sopa) de cebolinha verde picada

queijo parmesão ou curado ralado para polvilhar

Refogue o alho e a cebola no azeite. Junte a abóbora e
o caldo de carne. Abaixe o fogo e deixe cozinhar até
que a abóbora fique macia. Passe tudo em uma peneira
grossa. Volte ao fogo, junte a farinha de trigo dissolvida
no leite e tempere com sal e pimenta-do-reino. Mexa
até a sopa ficar cremosa. Acrescente a cebolinha verde.
Deixe levantar fervura. Retire do fogo. Ao servir,
polvilhe com queijo ralado.

Para 6 pessoas

1 maço de agrião

1 cebola grande em pedaços

2 dentes de alho

4 batatas cozidas

1 xícara de água

2 litros de caldo de carne (ver receita na pág. 28)

sal

1 pitada de noz-moscada

Lave bem o maço de agrião. Passe o agrião, a cebola,
o alho, a batata e a água no processador de alimentos
ou bata no liquidificador. Junte em uma panela a
mistura de agrião e o caldo de carne. Tempere com
sal e noz-moscada. Deixe ferver em fogo baixo por
20 minutos.

Para 6 pessoas

Sopa de mandioquinha

2 dentes de alho espremidos

2 cebolas picadas

1 colher (sopa) de manteiga

2 litros de caldo de carne (ver receita abaixo)

800 g de mandioquinha em pedaços

salsinha picada para polvilhar

Refogue o alho e a cebola na manteiga. Junte o caldo de carne e a mandioquinha. Abaixe o fogo, tampe a panela e deixe cozinhar até que a mandioquinha se desfaça e que o caldo engrosse. Polvilhe com salsinha.

Para 6 pessoas

Sopa de feijão com legumes

3 conchas de feijão-mulatinho cozido

3 cenouras pequenas picadas

1 xícara de nabo picado

1 xícara de vagens picadas

1 xícara de cheiro-verde picado

2 litros de caldo de carne (ver receita abaixo)

sal

Misture todos os ingredientes em uma panela e leve ao fogo. Tampe a panela e deixe ferver em fogo baixo por 20 minutos.

Para 6 pessoas

Caldo de carne

1 kg de músculo

4 litros de água

1 cebola grande em pedaços

1 dente de alho

1 tomate

1 maço de cheiro-verde amarrado

sal e pimenta-do-reino

Coloque todos os ingredientes em uma panela. Leve ao fogo até reduzir o caldo pela metade. Deixe esfriar, retire o músculo e o cheiro-verde. Passe o restante no processador de alimentos ou bata no liquidificador.

Para o caldo de frango:

1 carcaça de frango

1 litro de água

1 gengibre em rodelas

2 colheres (sopa) de molho de soja

sal

3 xícaras de caldo de frango

2 colheres (sopa) de molho de soja

10 rodelas de gengibre

1 talo de erva-cidreira em fatias finas

2 cogumelos frescos fatiados

6 pontas de aspargos frescos

1 colher (chá) de molho de pimenta

6 camarões grandes sem casca e limpos

suco de 2 limões

folhas de coentro para polvilhar

Prepare o caldo de frango: coloque todos os ingredientes em uma panela e deixe ferver. Abaixe o fogo, tampe a panela e cozinhe por 1 hora. Retire do fogo e coe o caldo.

Retorne o caldo à panela e adicione o molho de soja, o gengibre, a erva-cidreira, o cogumelo e o aspargo. Leve ao fogo e deixe ferver. Acrescente o molho de pimenta, o camarão e o suco de limão. Abaixe o fogo e cozinhe por mais 5 minutos. Retire do fogo. Sirva em seguida, polvilhado com folhas de coentro.

Para 2 pessoas

Sopa picante de

camarão

Arroz com castanha de caju

4 xícaras de arroz

2 cebolas picadas

4 dentes de alho espremidos

1 colher (sopa) de cebolinha verde picada

1 colher (sopa) de salsinha picada

3 colheres (sopa) de margarina

250 g de carne bovina moída

250 g de carne de porco moída

1 xícara de molho de tomate

sal e pimenta-do-reino

100 g de presunto picado

100 g de uva-passa sem sementes

1 lata de ervilha

200 g de castanha de caju picada

3 colheres (sopa) de queijo parmesão ralado

Prepare um arroz branco, simples. Em outra panela, refogue a cebola, o alho, a cebolinha verde e a salsinha na margarina. Junte as carnes moídas e o molho de tomate. Tempere com sal e pimenta-do-reino. Abaixe o fogo e deixe cozinhar por 20 minutos, mexendo de vez em quando.

Quando o arroz estiver quase seco, junte o refogado de carnes, o presunto, a uva-passa, a ervilha e a castanha de caju. Mexa, tampe a panela e deixe descansar por alguns minutos. Passe o arroz para uma travessa e polvilhe com o queijo ralado.

Para 12 pessoas

Arroz com coco

2 xícaras de arroz

2 xícaras de água fervente

sal

2 garrafas de 200 ml de leite de coco

Lave o arroz. Coloque-o em uma panela e adicione a água. Tempere com sal. Tampe a panela e cozinhe até ficar quase seco. Acrescente o leite de coco e cozinhe mais um pouco até ficar cremoso.

Para 4 a 5 pessoas

Arroz de Braga

1 cebola picada

2 dentes de alho espremidos

1 pitada de colorau

1 xícara de azeite

1 peito, 1 sobrecoxa e 1 coxa de frango cozidos e desfiados

1 lingüiça defumada em rodelas

200 g de lombo de porco defumado em pedaços

1 xícara de carne assada desfiada

sal e pimenta-do-reino

3 xícaras de arroz

1 chuchu picado

1 cenoura em rodelas

150 g de vagem picada

1 repolho pequeno cortado em 8 pedaços

1 pimenta vermelha picada

1 maço de cheiro-verde picado

Em uma panela, refogue a cebola, o alho e o colorau no azeite. Junte o frango, a lingüiça, o lombo e a carne assada. Tempere com sal e pimenta-do-reino. Refogue por alguns minutos. Acrescente o arroz e refogue mais um pouco. Junte o chuchu, a cenoura, a vagem e o repolho. Adicione água fervente suficiente para cobrir o arroz. Cozinhe até o arroz ficar macio e úmido. Se necessário coloque mais água. Retire do fogo, coloque a pimenta por cima e polvilhe com o cheiro-verde.

Observação: muita gente pensa que o arroz de Braga é um prato português. Na verdade, trata-se de uma receita brasileira, inventada aqui talvez por um português de sobrenome Braga.

Para 15 pessoas

Arroz-de-cuxá

1 maço de vinagreira (também chamada azedinha,
caruru-azedo, caruru-da-guiné, quiabo-de-angola ou
quiabo-roxo, ou, ainda, rosela)

sal

2 cebolas picadas

2 tomates picados

3 dentes de alho espremidos

1 maço de coentro picado

1 pimenta vermelha

2 colheres (sopa) de banha de porco

1 kg de camarão seco moído sem a casca

250 g de gergelim torrado

1 xícara de farinha de mandioca

250 g de quiabo em pedaços

2 xícaras de arroz

Cozinhe a vinagreira em água e sal. Reserve a água do
cozimento. Na tábua de carne, bata a vinagreira com
uma faca até que fique bem picada.

Em uma panela, refogue a cebola, o tomate, o alho,
o coentro e a pimenta vermelha na banha de porco.
Junte o camarão e o gergelim. Acrescente, aos poucos,
a farinha de mandioca misturada na água em que foi
cozida a vinagreira. Não pare de mexer. Junte o
quiabo. Mexa até que se transforme em uma pasta
homogênea.

Faça um arroz branco, simples. Coloque em uma
travessa e despeje o cuxá por cima.

Para 6 a 8 pessoas

Arroz-de-carreteiro

2 kg de carne-seca em pedaços grandes

250 g de toicinho picado

2 cebolas grandes picadas

2 tomates sem pele e sementes picados

1 xícara de cheiro-verde picado

1 folha de louro

4 xícaras de arroz

sal e pimenta-do-reino

1/2 kg de lingüiça de porco defumada picada

Coloque a carne-seca de molho na véspera em água
fria. Troque a água algumas vezes. No dia seguinte,
corte a carne em pedaços pequenos e leve-a para ferver.
Jogue fora a água.

Numa panela, frite o toicinho em fogo baixo. Aumente o
fogo, junte a cebola, o tomate, o cheiro-verde e a folha
de louro. Refogue por alguns minutos. Acrescente a
carne-seca. Mexa por mais alguns minutos. Se necessário,
adicione um pouco de água. Abaixe o fogo e tampe a
panela. Cozinhe até que a carne fique macia.
Acrescente o arroz e mexa durante uns 5 minutos, até
que ele se impregne dos temperos. Tempere com sal e
pimenta-do-reino. Junte a lingüiça. Adicione água
fervente, tampe e deixe cozinhar por cerca de 30
minutos.

Sugestão: se puder, faça o arroz em uma panela de
barro ou pedra para que possa ir à mesa e sirva-o
salpicado com torresminho.

Para 15 pessoas

Risoto de frutos

1 kg de polvo

2 kg de camarão miúdo ou médio

2 colheres (sopa) de margarina

2 kg de mexilhão limpo

1 kg de lula cortada em anéis

8 tomates sem pele e sementes picados

2 pimentas vermelhas picadas

cominho

sal

1 garrafa de vinho branco seco

5 cebolas raladas

6 dentes de alho espremidos

3 colheres (sopa) de azeite

1 kg de arroz (de preferência parboilizado)

4 xícaras de caldo de carne

queijo parmesão ralado

Limpe o polvo e lave-o bem. Leve para cozinhar em
água sem sal, para não endurecer, por 30 minutos.
Corte em pedacinhos e reserve.

Limpe o camarão. Em uma panela grande, derreta a
margarina e refogue-o rapidamente, sem deixar fritar.
Acrescente o mexilhão, a lula, o tomate, a pimenta e o
cominho. Tempere com sal. Junte 1 xícara de vinho e
cozinhe por 5 minutos. Reserve.

Refogue a cebola e o alho no azeite. Junte o arroz.
Refogue por mais alguns minutos. Tempere com sal.
Adicione água fervente suficiente para cobrir e cozinhe
até secar.

Junte o arroz e o polvo ao refogado de frutos do mar.
Acrescente, aos poucos, e, alternadamente, o caldo de
carne e o restante do vinho e termine de cozinhar.
Mexa sempre por mais ou menos 30 minutos. O risoto
deve ficar bem úmido e al dente. Sirva polvilhado com
queijo ralado.

Para 20 pessoas

do mar

Peixes

Azul-marinho

2 kg de peixe em postas

1 maço de coentro picado

1 maço de cheiro-verde picado

suco de 4 limões

4 dentes de alho espremidos

sal e pimenta-do-reino

4 cebolas grandes em rodelas

12 tomates sem pele picados

1/2 xícara de azeite

2 xícaras de água fervente

1 kg de camarão médio sem casca em pedaços

pimenta-malagueta socada

Para o pirão:

2 dúzias de bananas-nanicas verdes

1 1/2 xícara de caldo do peixe

farinha de mandioca crua

Em uma tigela grande, junte as postas de peixe, o coentro, o cheiro-verde, o suco de 3 limões, 3 dentes de alho, sal e pimenta-do-reino. Deixe ficar no tempero por 1 hora.

Refogue a cebola e 3 tomates em 1/4 de xícara de azeite. Junte os pedaços de peixe. Abaixe o fogo, adicione a água fervente e deixe cozinhar por 15 a 20 minutos. Reserve o caldo do peixe.

Tempere o camarão como o alho restante, sal e pimenta-do-reino, o suco de 1 limão e refogue no azeite restante. Acrescente os tomates restantes e cozinhe por alguns minutos. Junte a pimenta-malagueta e mexa. Reserve.

Prepare o pirão: descasque as bananas, tire os fios e leve-as para cozinhar cobrindo com água. Retire do fogo e escorra. Amasse com um garfo, junte o caldo do peixe e misture bem. Leve ao fogo e acrescente a farinha de mandioca, mexendo sempre para engrossar até formar um pirão mole.

Sirva os pedaços de peixe com o molho de camarão acompanhado do pirão de banana.

Para 10 pessoas

1/2 kg de bacalhau em pedaços

1/2 kg de mamão bem verde

1 cebola grande picada

1 dente de alho espremido

1 folha de louro

1 xícara de coentro picado

1 pimentão pequeno picado

2 tomates picados

1 colher (sopa) de azeite-de-dendê

2 colheres (sopa) de óleo

1 garrafa de 200 ml de leite de coco ou o

leite de 1 coco grande

1 xícara de creme de leite fresco ou 1 lata de creme de leite

Bacalhau com coco e mamão verde

Coloque o bacalhau de molho em água fria na véspera.
Troque a água algumas vezes.
No dia seguinte, descasque o mamão e corte-o em pedaços
regulares. Ferva o bacalhau, tire as peles e as espinhas. Corte
em lascas.
Refogue a cebola, o alho, o louro, o coentro, o pimentão e o
tomate no dendê e no óleo por alguns minutos. Acrescente o
bacalhau e o mamão. Mexa com cuidado para não
desmanchar. Misture o leite de coco com o creme de leite e
junte ao bacalhau. Abaixe o fogo, tampe a panela e deixe
cozinhar por 10 minutos. Sirva com arroz branco.

Para 4 pessoas

15 espigas de milho verde

3 xícaras de água

2 tabletes de caldo de galinha

1 kg de camarão com casca

1 cebola grande ralada

8 tomates grandes sem pele em pedacinhos

2 colheres (sopa) de óleo

1 maço de cheiro-verde picado

1 folha de louro

sal e pimenta-do-reino

Para o pirão:

1/2 litro de leite

1 garrafa de 200 ml de leite de coco

3 colheres (sopa) cheias de farinha de arroz

sal

Bobó de

Raspe as espigas de milho. Bata os grãos no liquidificador com 1 xícara de água. Passe pela peneira. Meça a quantidade de massa e coloque uma medida igual de água. Leve ao fogo baixo, mexendo sempre, e acrescente os tabletes de caldo de galinha. Deixe engrossar um pouco e reserve.

Ferva as cabeças e as cascas dos camarões em 2 xícaras de água e sal. Passe o caldo pela peneira e reserve. Refogue a cebola e o tomate no óleo. Acrescente o caldo do camarão, o cheiro-verde, o louro e a pimenta-do-reino. Junte os camarões e tempere com sal. Abaixe o fogo e cozinhe por 15 minutos. Adicione o creme de milho, mexa e deixe esquentar.

Prepare o pirão: misture todos os ingredientes em uma panela e mexa bem até formar um pirão mole. Sirva com o bobó.

Para 12 pessoas

milho verde

1 moranga média e madura

sal e pimenta-do-reino

2 dentes de alho socados

1 kg de camarão miúdo

suco de 2 limões

1 cebola grande ralada

2 colheres (sopa) de margarina

1 xícara de coentro picado

1 colher (sopa) de maisena

1 xícara de leite

2 colheres (sopa) de catchup

1 xícara de purê de tomate

1 queijo catupiri

camarões grandes para enfeitar

Camarão na

Lave a moranga por fora, esfregando-a para sair qualquer sujeira ou terra. Corte a tampa e reserve. Limpe a moranga por dentro, tirando sementes e fiapos. Tempere-a por dentro com sal, pimenta-do-reino e alho.

Tempere o camarão com sal e limão. Refogue a cebola na margarina. Junte o camarão e o coentro. Tempere com pimenta-do-reino. Abaixe o fogo e deixe cozinhar por 10 minutos. Dissolva a maisena no leite. Acrescente ao refogado de camarão, mexendo até engrossar. Junte o catchup e o purê de tomate, misture bem. Reserve. Vire a moranga de cabeça para baixo e retire toda a água que esteja dentro dela. Coloque uma camada de catupiri. Disponha o creme de camarão. Tampe a moranga e coloque-a em uma assadeira. Leve ao forno médio (180ºC), preaquecido, até ficar macia. Retire do fogo e enfeite com os camarões grandes cozidos com casca. Sirva com arroz branco.

Para 6 a 8 pessoas

moranga

1 dourado de 2 kg limpo e aberto pelas costas

sal e pimenta-do-reino

2 dentes de alho espremidos

suco de 1 limão

Dourado na folha

Para a farofa:

1 xícara de margarina

2 cebolas raladas

2 cenouras raladas

2 tomates sem pele picados

1 xícara de coentro picado

sal

1/2 xícara de farinha de mandioca torrada

2 xícaras de caldo de espinhas do peixe

1 folha de bananeira

azeite para untar

Costure a parte de baixo do peixe. Faça uma pasta com
o sal, a pimenta-do-reino, o alho e o limão e esfregue
no peixe por dentro e por fora. Deixe tomando gosto
por 1 hora.

Ferva a espinha do peixe em água e sal, coe e reserve.

Prepare a farofa: refogue na margarina a cebola,
a cenoura e o tomate. Acrescente o coentro e tempere
com sal. Junte a farinha de mandioca e o caldo de
espinhas e mexa por alguns minutos.

Recheie o peixe com a farofa, costure a abertura e
deixe repousando por 1 hora.

Coloque a folha de bananeira no forno por 1 ou 2
minutos para murchar. Unte-a com azeite e enrole o
peixe nela. Leve ao forno quente (220ºC), preaquecido,
por 1 hora.

Sirva o peixe cortado em fatias grossas com o restante
da farofa.

Para 6 a 8 pessoas

de bananeira

2 lagostas frescas

sal e pimenta-do-reino

limão

2 cebolas em rodelas

2 dentes de alho espremidos

5 tomates maduros sem pele e sementes

1/2 xícara de azeite de oliva

1 ramo de coentro picado

2 garrafas de 200 ml de leite de coco

1/2 xícara de azeite-de-dendê

1 pimenta-malagueta picada

Moqueca de

Corte a carne da lagosta em pedaços grandes. Tempere
com sal, pimenta-do-reino e limão. Em uma panela,
refogue a cebola, o alho e o tomate no azeite de oliva.
Junte a lagosta. Refogue por mais alguns minutos.
 Acrescente o coentro, o leite de coco e o azeite-de-
dendê. Misture. Abaixe o fogo e deixe cozinhar por 20
a 25 minutos.
Antes de servir, adicione a pimenta-malagueta.

Para 4 pessoas

lagosta

4 kg de peixe (namorado ou garoupa)

suco de 5 limões

sal e pimenta-do-reino

6 cebolas picadas

3 dentes de alho espremidos

1 xícara de cheiro-verde picado

2 colheres (sopa) de manjericão picado

1 xícara de coentro picado

3 tomates sem pele e sementes picados

1 pimenta vermelha picada e esmagada

1 xícara de azeite-de-dendê

1/2 xícara de azeite de oliva

3 garrafas de 200 ml de leite de coco

Moqueca de peixe

Corte o peixe em postas. Reserve a cabeça. Tempere com limão, sal e pimenta-do-reino. Cubra e deixe tomar gosto por 30 minutos.

Refogue a cebola, o alho, o cheiro-verde, o manjericão, o coentro, o tomate e a pimenta vermelha no azeite-de-dendê e no azeite de oliva. Junte as postas de peixe, mexa e refogue mais um pouco. Adicione o leite de coco. Abaixe o fogo, tampe a panela e cozinhe por 20 minutos. Não mexa mais, para evitar que as postas de peixe se desfaçam. Sirva com arroz com coco (ver receita na pág. 32).

Sugestão: se quiser, sirva com molho de pimenta feito com pimenta-malagueta curtida em azeite-de-dendê.

Para 16 pessoas

1 kg de peixe em postas sem espinhas

(garoupa, namorado ou cação)

250 g de camarão limpo

250 g de ostras fervidas em água e sal

250 g de carne de caranguejo desfiada

250 g de mariscos

sal e pimenta-do-reino

suco de 3 limões

1 pimenta-malagueta picada

1 xícara de óleo

1 pitada de urucum ou 2 colheres (chá) de colorífico

3 dentes de alho espremidos

4 cebolas em rodelas

1 kg de tomate sem pele e sementes picado

1 maço de coentro picado

1 lata de palmito em rodelas

1 xícara de azeitonas pretas sem caroço picadas

12 ovos separados

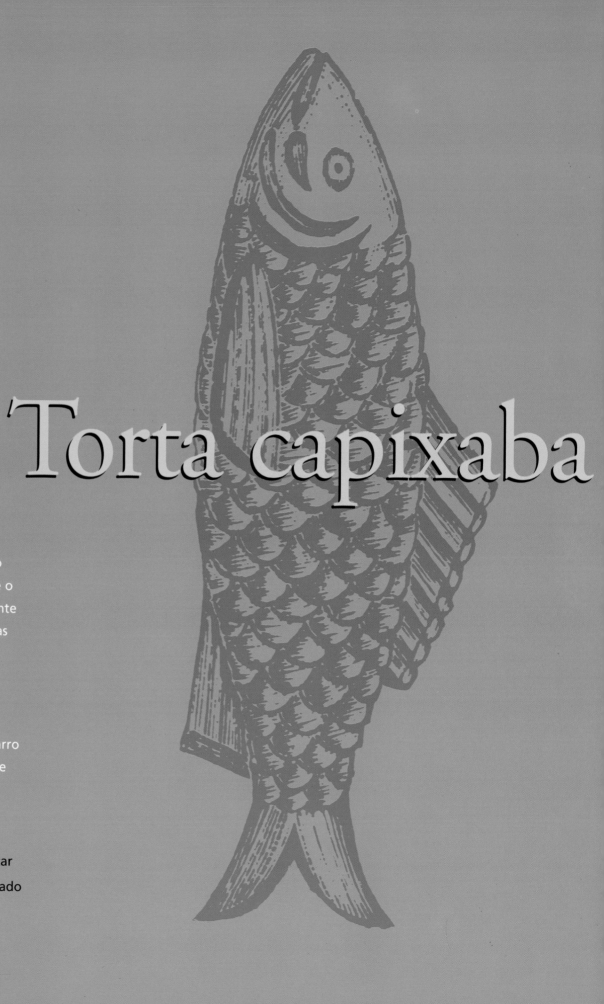

Torta capixaba

Tempere o peixe, o camarão, as ostras, o caranguejo e os
mariscos com sal, pimenta-do-reino, limão e pimenta
malagueta. Aqueça o óleo em uma panela grande, junte o
urucum e frite por 1 minuto. Acrescente o alho, a cebola e o
tomate e refogue até a cebola murchar. Abaixe o fogo, junte
o peixe e cozinhe por 10 minutos. Acrescente o camarão, as
ostras, o caranguejo e os mariscos e cozinhe por mais 5
minutos. Por último, junte o coentro, o palmito e as
azeitonas. Misture e retire do fogo. Bata 8 claras em neve.
Acrescente 8 gemas e bata mais um pouco. Junte tudo à
mistura de peixe e mariscos. Coloque em uma fôrma de barro
ou refratária retangular. Bata mais 4 ovos até espumarem e
cubra toda a superfície da fôrma com eles. Leve ao forno
médio (180°C), preaquecido, até dourar.

Sugestão: a receita original de torta capixaba manda colocar
também 250 g de sururu (um molusco), que não é encontrado
em todas as partes do país.

Para 8 a 10 pessoas

2 kg de peixe em postas

(cação, caçonete, namorado ou garoupa)

sal

suco de 2 limões

2 dentes de alho espremidos

300 g de camarão fresco médio limpo

1 xícara de azeite de oliva

300 g de camarão seco sem sal

3 tomates sem pele e sementes picados

200 g de castanha de caju

200 g de amendoim descascado e torrado

4 cebolas picadas

4 dentes de alho espremidos

1 xícara de farinha de arroz

4 garrafas de 200 ml de leite de coco

5 colheres (sopa) de azeite-de-dendê

Vatapá

Tempere o peixe com sal, limão e alho. Reserve.
Frite rapidamente o camarão fresco no azeite de oliva.
Reserve. Lave o camarão seco e leve ao fogo para ferver
por 5 minutos. Retire do fogo e escorra, reservando a água.
Cozinhe o peixe por 15 minutos com os temperos em que
esteve marinando, o tomate e um pouco de água.
Reserve. Passe na máquina de moer ou no processador de
alimentos o camarão seco, a castanha de caju,
o amendoim, a cebola e o alho. Despeje essa pasta na
água reservada e cozinhe em fogo baixo. Desmanche a
farinha de arroz no leite de coco. Incorpore essa mistura
ao vatapá, mexendo sempre, até engrossar. Acrescente o
azeite-de-dendê. Junte as postas de peixe (com o molho)
e o camarão fresco e deixe no fogo por mais 5 minutos.
Sirva bem quente, com arroz com coco (ver receita na
pág. 32).

Observação: se o camarão seco for salgado, deixe de
molho por 3 horas, trocando a água várias vezes.

Para 8 a 10 pessoas

Zorô

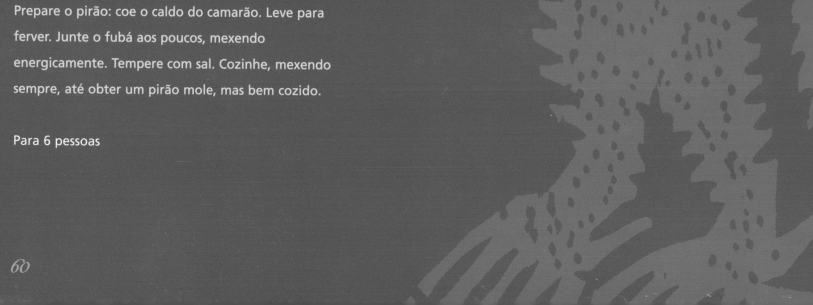

1 kg de camarão com casca

sal e pimenta-do-reino

limão

1 cebola picada

3 dentes de alho

4 tomates picados

3 galhos de coentro

1 maço de cheiro-verde

1 pimenta vermelha picada

1/2 xícara de azeite de oliva

2 colheres (sopa) de azeite-de-dendê

1 kg de quiabo em rodelas finas

Para o pirão:

caldo do camarão

fubá de milho

sal

Ferva as cascas e as cabeças dos camarões. Reserve o caldo. Tempere os camarões com sal, pimenta-do-reino e limão.

Bata no liquidificador ou no processador de alimentos a cebola, o alho, o tomate, o coentro, o cheiro-verde e a pimenta. Refogue por 5 minutos no azeite de oliva e no azeite-de-dendê. Acrescente os camarões e refogue por mais 2 minutos. Junte os quiabos. Abaixe o fogo, tampe a panela e cozinhe por 10 minutos.

Prepare o pirão: coe o caldo do camarão. Leve para ferver. Junte o fubá aos poucos, mexendo energicamente. Tempere com sal. Cozinhe, mexendo sempre, até obter um pirão mole, mas bem cozido.

Para 6 pessoas

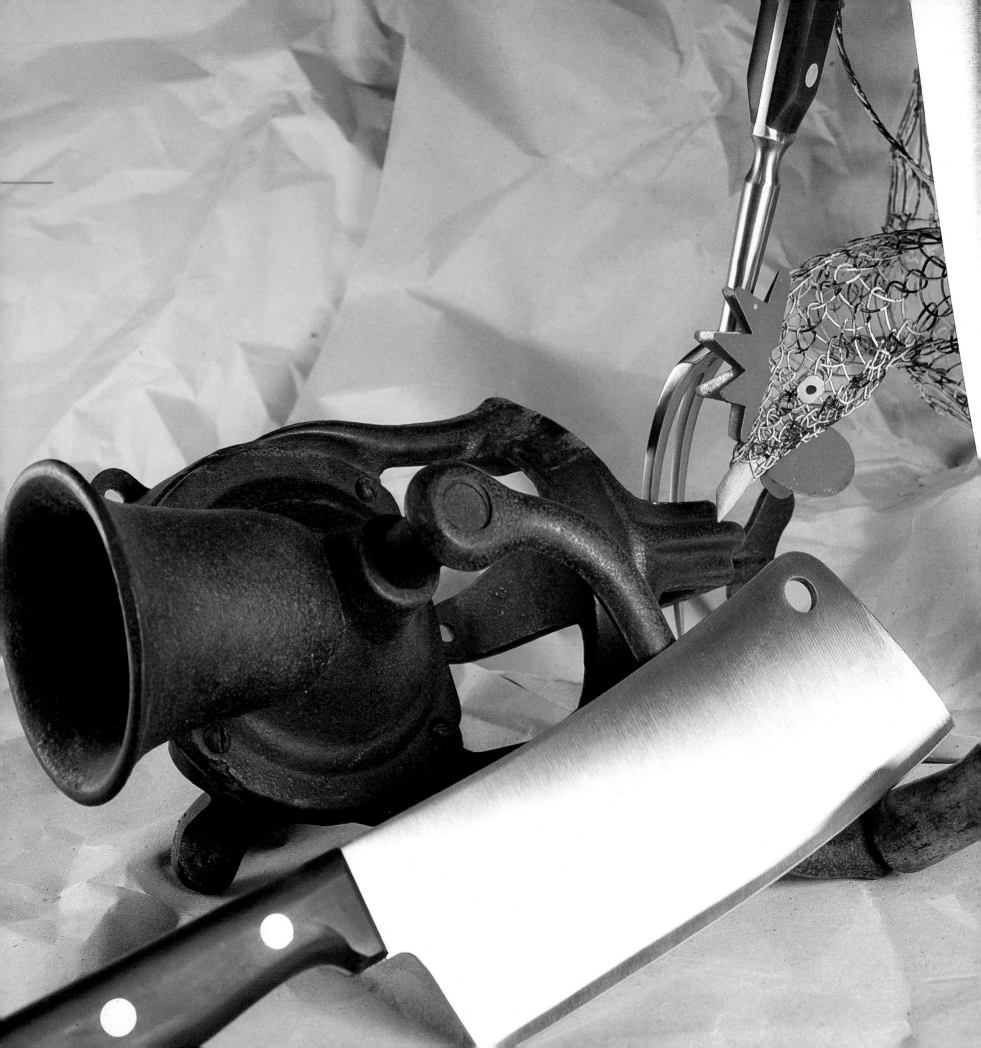

Carnes

300 g de lombo de porco salgado em pedaços

1/2 kg de carne-seca em pedaços

3 xícaras de feijão-mulatinho

4 paios em rodelas grossas

4 lingüiças de porco em rodelas grossas

200 g de toicinho picado

3 xícaras de arroz

4 cebolas picadas

4 dentes de alho espremidos

sal

1 maço de cheiro-verde picado

cominho

1/2 xícara de óleo

250 g de queijo-de-minas em pedaços

250 g de torresmo

Para a farofa:

3 cebolas picadas

1/2 a 3/4 de xícara de manteiga

6 bananas-nanicas em pedaços

farinha de mandioca

sal e pimenta-do-reino

Deixe a carne-seca e o lombo de molho na véspera.
Escolha o feijão-mulatinho, lave-o bem. Cozinhe junto
com a carne-seca, o lombo, o paio, a lingüiça e o
toicinho com água suficiente para cobri-lo. Depois de
cerca de 40 minutos, junte o arroz.
Refogue a cebola, o alho, o sal, o cheiro-verde e o
cominho no óleo. Junte o refogado à mistura de arroz e
feijão. Misture. Tampe a panela e deixe no fogo por
mais 30 minutos. Adicione água fervente sempre que
necessário. Acrescente o queijo-de-minas.
Prepare a farofa: frite a cebola na manteiga. Junte a
banana e refogue por alguns minutos. Acrescente a
farinha de mandioca. Mexa por mais alguns minutos.

Tempere com sal e pimenta-do-reino. Sirva o baião-de-
dois com torresmo.

Observação: para preparar o torresmo, corte o toicinho
fresco em pedaços grandes e frite na sua própria
gordura até ficar crocante. Pincele e escorra em papel
absorvente.

Para 12 a 15 pessoas

Baião-de-dois

4 tomates sem pele e sementes picados

4 cebolas picadas

4 dentes de alho picados

3 folhas de louro

cominho

1 pimenta-malagueta picada e amassada

1 maço de cheiro-verde picado

2 kg de alcatra em pedaços

1 kg de patinho em pedaços

1/2 kg de toicinho em cubos de 3 cm

1/2 xícara de vinagre branco

1/2 xícara de azeite

Para "barrear":

farinha de mandioca e água

Misture em uma tigela o tomate, a cebola, o alho, o louro, o cominho, a pimenta e o cheiro-verde. Em uma panela de barro ou de pedra, coloque uma camada de alcatra e patinho misturados, uma camada dos temperos e uma de toicinho. Repita as camadas até terminar os ingredientes. Cubra com o vinagre e o azeite. Tampe a panela e deixe repousar a noite toda. No dia seguinte, faça uma pasta com a farinha de mandioca e a água. "Barreie" a panela, ou seja, preencha os espaços vazios entre a panela e a tampa com a pasta de mandioca, sem deixar frestas. Cozinhe em fogo baixo por cerca de 4 horas. Se estiver escapando vapor, ponha mais um pouco da pasta. Sirva com arroz branco ou farofa.

Observação: o escritor e gourmet Antônio Houaiss garante que o barreado foi o precursor da panela de pressão.

Para 12 a 15 pessoas

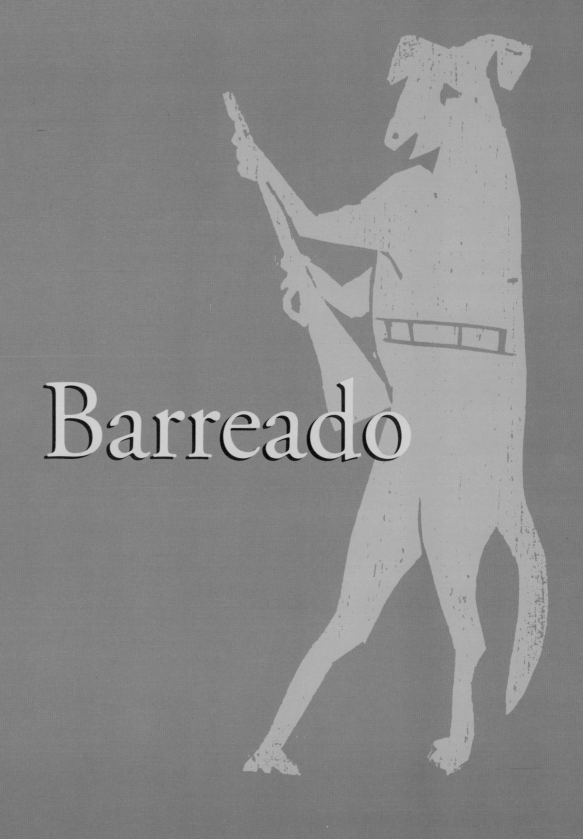

Barreado

Carne-seca

1 1/2 kg de carne-seca (magra) em pedaços

1 colher (sopa) de alho espremido

1 xícara de óleo

louro

2 tomates sem pele e sementes picados

3 cebolas em rodelas

2 colheres (sopa) de cebolinha verde picada

sal e pimenta-do-reino

Para o quibebe:

1 colher (chá) de alho espremido

2 cebolas picadas

1 xícara de óleo

2 kg de abóbora madura em pedaços

sal e pimenta-do-reino

salsinha picada

cebolinha verde picada

Leve a carne-seca ao fogo para dar uma fervura. Troque a água e deixe de molho a noite toda. Lave bem a carne e cozinhe até ficar macia. Retire e escorra. Refogue o alho no óleo até dourar. Junte a carne-seca, o louro, o tomate e deixe refogar por mais alguns minutos. Acrescente a cebola e a cebolinha. Misture, fritando ligeiramente por mais alguns minutos ou até a cebola murchar. Tempere com sal e pimenta-do-reino. Prepare o quibebe: em uma panela, refogue o alho e a cebola no óleo. Junte a abóbora. Tempere com sal e pimenta-do-reino. Tampe a panela e deixe cozinhar em fogo baixo, pingando água quente aos poucos. A abóbora deve ficar macia, porém sem desmanchar. Polvilhe com salsinha e cebolinha. Sirva com a carne-seca.

Para 8 pessoas

com quibebe

1 xícara de pimentão verde picado

6 tomates maduros em pedacinhos

1 cebola grande picada

2 xícaras de azeite

2 kg de ossobuco

sal

molho de pimenta

farinha de trigo

Para o pirão:

caldo do refogado

1/2 kg de farinha de mandioca

Chambari

Em uma panela, refogue o pimentão, o tomate e a cebola em metade do azeite até murcharem. Reserve. Tempere o ossobuco com sal e molho de pimenta. Passe-os na farinha de trigo e frite no restante do azeite, dourando-os de ambos os lados.
Junte o ossobuco ao refogado de tomate. Cubra com água quente e deixe cozinhar em fogo baixo por cerca de 1 hora ou até amaciar.
Prepare o pirão: retire quase todo o caldo do refogado e coloque em uma panela. Junte a farinha de mandioca aos poucos e cozinhe mexendo até obter um pirão mole. Sirva com o ossobuco.

Para 6 pessoas

Cozido à brasileira

1 kg de coxão duro em pedaços

2 dentes de alho espremidos

sal e pimenta-do-reino

1/2 kg de lombo de porco defumado

4 paios em rodelas

1/2 kg de lingüiça curada (ou defumada) em pedaços

sal

1 folha de louro

1 pimenta vermelha picada

1 maço de cheiro-verde amarrado

cominho

250 g de bacon em cubos

3 mandiocas em pedaços

5 batatas-doces em pedaços

5 bananas-da-terra

1 pedaço de abóbora madura em quadrados grandes

1 repolho pequeno cortado em quatro

5 cenouras em rodelas

2 nabos brancos em pedaços

1 couve-flor pequena separada em buquês

algumas folhas de couve-tronchuda

6 cebolas inteiras

5 ovos cozidos

azeite para regar

Para o o pirão:

caldo do cozimento

farinha de mandioca crua

sal e pimenta-do-reino

Tempere o coxão duro, de véspera, com alho, sal e pimenta-do-reino.

Em uma panela grande, com bastante água, leve para cozinhar o coxão duro, o lombo de porco, o paio e a lingüiça. Tempere com sal. Acrescente o louro, a pimenta e o maço de cheiro-verde. Junte o cominho e o bacon. Abaixe o fogo, tampe a panela e cozinhe por cerca de 1 hora, até as carnes ficarem macias.

Cozinhe separadamente a mandioca, a batata-doce e a banana-da-terra com a casca. Junte à panela das carnes a mandioca, a batata-doce, a abóbora, o repolho, a cenoura, o nabo, a couve-flor e as folhas de couve-tronchuda. Tampe a panela e cozinhe em fogo baixo. Passados 10 minutos, junte a cebola.

Em outra panela, posta em lugar aquecido, coloque os legumes que forem ficando cozidos.

Prepare o pirão: coe um pouco do caldo do cozido. Deixe esfriar um pouco. Leve ao fogo, junte a farinha de mandioca aos poucos. Tempere com sal e pimenta-do-reino. Cozinhe, mexendo sempre, até engrossar.

Sirva o cozido separando as carnes com um pouco do caldo, os legumes, os ovos cozidos cortados ao meio e as bananas descascadas. Regue as carnes e os legumes com azeite. Sirva com o pirão.

Para 10 a 15 pessoas

1 peça de cupim

2 folhas de louro

sal

3 colheres (sopa) de azeite

pimenta-do-reino

suco de 2 limões

pimenta vermelha picada e esmagada

3 colheres (sopa) de molho inglês

1 xícara de vinho tinto

1 maço de alecrim

4 colheres (sopa) de óleo

1 kg de batata pequena descascada

Cupim gaúcho

Lave o cupim. Coloque-o junto com o louro, sal e o azeite numa panela de pressão com água suficiente para cobrir a carne. Cozinhe por 1 hora e meia. Retire o cupim da panela de pressão. Tempere-o com limão, pimenta-do-reino, pimenta vermelha, molho inglês e vinho. Coloque o maço de alecrim por cima. Cubra com um pano e deixe de um dia para o outro.

No dia seguinte, passe o cupim para uma assadeira. Regue com o óleo. Reserve o molho de vinho. Coloque as batatas em volta. Leve ao forno quente (220°C), preaquecido, e asse por 1 hora ou até que, espetando com um garfo, o cupim esteja macio e as batatas coradas. De vez em quando, molhe o maço de alecrim no molho de vinho e passe sobre o cupim.

Para 6 pessoas

1 kg de feijão-preto

2 pés de porco

1/2 kg de orelha de porco

1 kg de carne-seca

5 paios

1/2 kg de lingüiça de carne de porco defumada

600 g de costela de porco defumada

1/2 kg de lombo de porco defumado

4 dentes de alho espremidos

4 cebolas picadas

1 folha de louro

suco de 6 laranjas

Feijoada

Para o molho picante:

2 xícaras do caldo do feijão

1 pimenta vermelha picada

2 cebolas raladas

1 maço de cheiro-verde picado

suco de 3 limões

Para a couve:

5 maços de couve

6 dentes de alho espremidos

azeite

Coloque o feijão-preto, a carne-seca, o pé e a orelha de porco de molho, separadamente, na véspera. No dia seguinte, leve o feijão ao fogo com bastante água e deixe cozinhar por 1 hora em panela comum ou por 20 minutos em panela de pressão.

Corte as carnes em pedaços grandes e retire o excesso de gordura. Ferva todas as carnes, escorra e jogue a água fora.

Passe o feijão para uma panela grande, junte o paio, a costela, o lombo, o pé, a orelha, a carne-seca, o alho, a cebola e o louro. Tampe a panela e deixe cozinhar até que o feijão e as carnes estejam macios. Coloque a lingüiça 40 minutos após a fervura. Cinco minutos antes de servir, junte ao feijão o suco de laranja.

Prepare o molho picante: misture todos os ingredientes e sirva frio.

Prepare a couve: pique a couve bem fininha. Coloque-a em um escorredor e despeje água fervente por cima. Em uma panela grande, refogue o alho no azeite. Junte a couve. Mexa por alguns minutos. Abaixe o fogo, tampe a panela e deixe cozinhar por 5 minutos. Mexa de vez em quando.

Para 8 a 10 pessoas

Frango ao catupiri

1 kg de frango em pedaços

sal e pimenta-do-reino

suco de 2 limões

2 colheres (sopa) de óleo

1 dente de alho espremido

1 cebola picada

2 tomates sem pele e sementes picados

2 xícaras de leite

1 queijo catupiri

1 cebolinha verde picada para polvilhar

Limpe e tempere os pedaços de frango com sal,
pimenta-do-reino e limão. Coloque o óleo em uma
panela e doure o alho. Junte o frango e frite por
alguns minutos. Acrescente a cebola e o tomate.
Refogue por mais alguns minutos. Abaixe o fogo
e cozinhe o frango com a panela tampada por
20 minutos. Se necessário, acrescente um pouco de
água. Quando o frango estiver cozido, retire da panela
e desosse. Corte em pedaços médios.
Junte o leite ao molho que ficou na panela e deixe
ferver. Acrescente o catupiri em pedaços, mexendo
sempre, até formar um creme. Leve o frango de volta
à panela. Polvilhe com cebolinha verde.

Para 4 pessoas

gordura de porco

1 cebola grande

6 dentes de alho espremidos

1 pimenta vermelha picada

1 folha de louro

1 maço de cheiro-verde picado

1 pedaço de leitoa não muito gorda sem osso (cerca de 3 kg)

sal

Para o purê:

1 kg de batata-doce

sal

3 colheres (sopa) de manteiga

leite

Leitoa à pururuca
com purê de batata-doce

Em uma panela bem grande, esquente a gordura de porco. Junte a cebola, o alho, a pimenta vermelha, o louro, o cheiro-verde e a leitoa. Tempere com sal. Frite a carne de todos os lados até dourar bem. Coloque um pouco de água e deixe cozinhar até a carne ficar macia, porém firme. Acrescente água fervente sempre que necessário.

Retire do fogo e deixe esfriar. Corte a leitoa em pedaços. Em uma frigideira bem grande, coloque gordura de porco, esquente bem e frite os pedaços de leitoa até ficarem bem tostados e pururucas.

Prepare o purê: cozinhe a batata-doce descascada com sal. Passe pelo espremedor ou amasse com um garfo. Acrescente a manteiga e mexa bem. Adicione leite suficiente para dar a consistência desejada. Sirva a leitoa à pururuca com o purê de batata-doce.

Para 6 pessoas

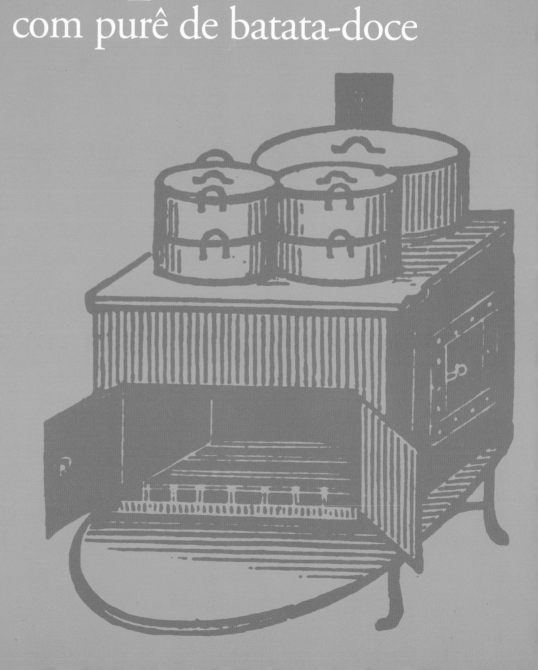

1 galinha (ou frango) cortada em pedaços

2 dentes de alho espremidos

sal

1 xícara de azeite de oliva

1 maço de cheiro-verde picado

pimentas-malaguetas moídas

2 cebolas médias raladas

300 a 400 g de camarão seco moído

alguns ramos de coentro

1 colher (sopa) de gengibre ralado

1 xícara de azeite-de-dendê

Tempere a galinha com alho e sal. Deixe repousar por 1 hora. Numa panela (de preferência de barro ou de pedra), refogue os pedaços de galinha no azeite de oliva até ficarem dourados. Junte o cheiro-verde, a pimenta-malagueta, a cebola, o camarão e o gengibre e refogue mais um pouco. Abaixe o fogo, adicione o azeite-de-dendê e cozinhe em fogo baixo, com a panela tampada, por 30 minutos. Se houver necessidade, coloque um pouco de água quente. Sirva com arroz branco.

Para 6 pessoas

Xinxim de ga

1/2 kg de carne-seca em pedaços

2 cebolas picadas

6 dentes de alho espremidos

1/2 xícara de azeite

1/2 xícara de óleo

2 tomates sem pele picados

1 lata de legumes variados

sal

molho de pimenta

1 xícara de farinha de mandioca crua

1 xícara de farinha de milho amarela

1 maço de cheiro-verde picado

3 ovos cozidos picados

azeitonas pretas sem caroço

Cuscuz de carne-seca

Deixe a carne-seca de molho na água por 24 horas,
trocando a água várias vezes. Leve ao fogo e deixe
ferver por 20 minutos. Escorra a água, corte em
cubinhos e cozinhe em nova água fervente até a carne
ficar macia. Reserve.

Refogue a cebola e o alho no azeite e no óleo.
Acrescente o tomate, a carne-seca e os legumes.
Tempere com sal e molho de pimenta. Abaixe o fogo.
Enquanto isso, misture as farinhas e o cheiro-verde em
uma tigela. Junte essa mistura à carne, mexendo
sempre. Por último, coloque os ovos e as azeitonas
pretas.

Unte com óleo uma fôrma com buraco no meio de
24 cm de diâmetro. Coloque a massa do cuscuz, sem
apertar. Para desenformar ainda quente, aperte com
um pano úmido e vire a fôrma em um prato grande.

Para 10 pessoas

Para a massa de fermentação:

2 tabletes de fermento biológico

1 xícara de leite morno

1 colher (sopa) de açúcar

1 xícara de farinha de trigo

Para a massa:

1/2 kg de mandioquinha cozida e amassada

3 colheres (sopa) de banha em temperatura ambiente

3 colheres (sopa) de óleo

5 ovos batidos

2 colheres (chá) de sal

5 xícaras de farinha de trigo

Para o recheio:

500 g de presunto em fatias

500 g de mozarela em fatias

2 gemas

queijo parmesão ralado para polvilhar

Rocambole de

Prepare a massa de fermentação: dissolva o fermento no leite. Junte o açúcar e a farinha. Misture. Deixe descansar por 30 minutos, até crescer.

Prepare a massa: misture em uma tigela grande a massa fermentada, a mandioquinha, a banha, o óleo, os ovos e o sal. Junte a farinha de trigo. Sove a massa por 5 minutos numa superfície polvilhada com farinha. Deixe a massa descansar por mais 30 minutos, com a tigela coberta. Divida a massa em duas partes. Abra com um rolo sobre uma superfície polvilhada com farinha, coloque a metade do presunto e da mozarela e enrole como um rocambole. Repita a mesma operação com a outra metade. Deixe descansar por 30 minutos. Pincele os rocamboles com a gema e polvilhe com o queijo ralado. Leve ao forno médio (180°C), preaquecido, em duas assadeiras untadas e enfarinhadas, até dourar.

Para 12 pessoas

mandioquinha

Suflê de abóbora

1 kg de abóbora em pedaços
sal
1 colher (sopa) de nata ou leite
3 colheres (sopa) de queijo parmesão ralado
3 ovos separados
queijo parmesão ralado para polvilhar

Cozinhe a abóbora no vapor. Passe em uma peneira fina ou amasse com um garfo. Escorra a água que se formar. Tempere com sal. Junte a nata, o queijo parmesão e as gemas. Mexa bem. Acrescente as claras batidas em neve e misture cuidadosamente. Coloque em uma fôrma refratária alta de 22 cm de diâmetro. Polvilhe com queijo ralado. Leve ao forno quente (220ºC), preaquecido, até que fique firme e ligeiramente dourado. Retire do forno e sirva imediatamente.

Para 6 pessoas

Suflê de palmito

2 cebolas picadas
3 dentes de alho espremidos
2 colheres (sopa) de margarina
2 tomates sem pele picados
1 lata de palmito cortado em rodelas
sal e pimenta-do-reino
1/2 xícara de farinha de trigo
2 xícaras de leite
4 ovos separados
100 g de queijo parmesão ralado
farinha de rosca para polvilhar

Doure a cebola e o alho em 1 colher (sopa) de margarina. Junte o tomate e o palmito. Tempere com sal e pimenta-do-reino. Refogue por alguns minutos. Reserve. Derreta o restante da margarina em uma panela. Junte a farinha de trigo e misture. Adicione o leite, sem parar de mexer, e cozinhe até que o molho branco engrosse. Retire do fogo e acrescente as gemas (passadas na peneira), o refogado de palmito e o queijo parmesão. Misture bem. Bata as claras em neve. Acrescente à mistura de palmito e mexa com cuidado. Unte uma fôrma refratária alta de 22 cm de diâmetro e polvilhe com farinha de rosca. Coloque o suflê. Leve ao forno médio (180ºC), preaquecido, até ficar firme e ligeiramente dourado. Retire do forno e sirva imediatamente.

Para 6 pessoas

Suflê de chuchu

2 xícaras de leite
2 colheres (sopa) cheias de farinha de trigo
4 ovos separados
3 colheres (sopa) de margarina ou manteiga
sal e pimenta-do-reino
1 cebola grande
2 dentes de alho espremidos
200 g de presunto picado
1 kg de chuchu cozido em fatias
1 xícara de cheiro-verde picado
50 g queijo parmesão ralado
farinha de rosca para polvilhar

Misture em uma panela o leite, a farinha de trigo, as gemas e 2 colheres (sopa) de margarina. Tempere com sal e pimenta-do-reino. Leve ao fogo, mexendo sempre com uma colher de pau, até engrossar. Refogue o alho e a cebola no restante da margarina e acrescente ao molho branco. Junte o presunto, o chuchu, o cheiro-verde e o queijo parmesão. Bata as claras em neve. Adicione à mistura de chuchu. Unte uma fôrma refratária pequena, quadrada ou retangular, e polvilhe com farinha de rosca. Coloque o suflê. Leve ao forno médio (180ºC), preaquecido, por cerca de 20 minutos ou até ficar ligeiramente dourado. Retire do forno e sirva imediatamente.

Para 8 pessoas

Doces e Docinhos

1 1/2 xícara de água

2 1/2 xícaras de açúcar

1 garrafa de 200 ml de leite de coco ou leite de 1 coco

10 gemas

água de flor de laranjeira a gosto

Misture a água e o açúcar, leve ao fogo sem mexer e faça uma calda em ponto de bala mole. Para testar, retire um pouco da calda e coloque em uma tigelinha com água fria. Ao pegar com a ponta dos dedos, deve formar uma bolinha que não mantém a forma. Adicione o leite de coco e misture bem. Retire do fogo. Passe as gemas por uma peneira. Coloque sobre elas um pouco da calda quente e mexa bem. Adicione o restante da calda, mexendo sempre. Volte ao fogo baixo e junte a água de flor de laranjeira. Mexa até formar um doce cremoso. Coloque a baba-de-moça em uma compoteira. Sirva fria.

Para 6 pessoas

Baba-de-moça

6 colheres (sopa) cheias de maisena

2 xícaras de leite

1/2 lata de leite condensado

2 garrafas de 200 ml de leite de coco

açúcar a gosto

Para a calda:

3 xícaras de açúcar

3 xícaras de água

2 cravos-da-índia

1 pedaço de canela em pau

1 xícara de vinho tinto

300 g de ameixa-preta

Dissolva a maisena no leite. Junte todos os outros
ingredientes. Passe por uma peneira. Leve ao fogo,
mexendo sempre até engrossar. Despeje o manjar em
uma fôrma com buraco no meio de 22 cm de diâmetro
umedecida com água. Deixe esfriar e leve à geladeira
até ficar bem firme.
Prepare a calda: junte todos os ingredientes em uma
panela e deixe ferver até a ameixa ficar macia. Deixe
esfriar. Desenforme o manjar e sirva-o com a calda.

Para 6 a 8 pessoas

Manjar-branco

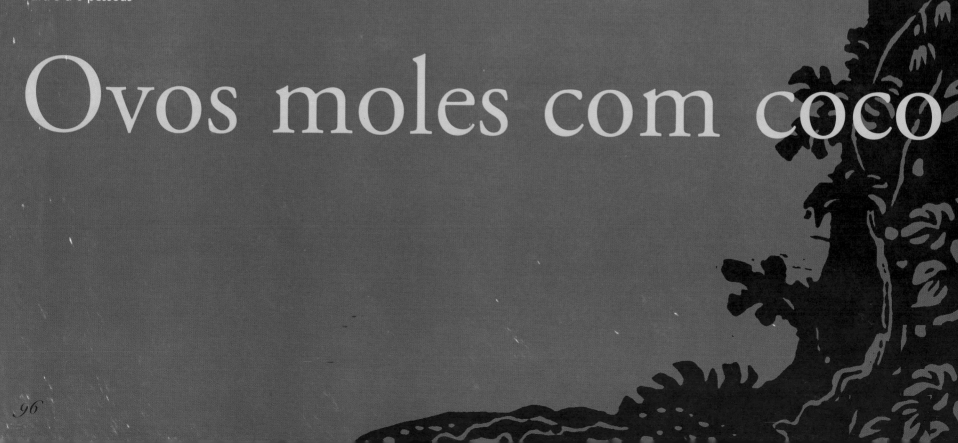

1 lata de leite condensado

12 gemas peneiradas

200 g de coco ralado

2 garrafas de 200 ml de leite de coco

Para a calda:

3 xícaras de açúcar

4 xícaras de água

1 pedaço de canela em pau

queijo-de-minas ou canela em pó

Misture o leite condensado e as gemas. Reserve.
Coloque o coco ralado de molho no leite de coco.
Prepare a calda: misture a água, o açúcar e a canela.
Leve ao fogo e faça uma calda grossa com a
consistência de mel. Abaixe o fogo. Acrescente as
misturas de coco e leite condensado. Mexa por
3 minutos. Retire do fogo e deixe esfriar. Coloque em
uma compoteira. Sirva com queijo-de-minas ou
polvilhado com canela em pó.

Para 5 a 6 pessoas

Ovos moles com coco

2 xícaras de água

1/2 kg de açúcar

1 kg de batata-doce cozida passada pelo espremedor

1 colher (chá) de essência de baunilha

4 colheres (sopa) de marasquino

cerejas para decorar

Misture a água e o açúcar, leve ao fogo e faça uma
calda grossa com a consistência de mel. Acrescente a
batata-doce, a essência de baunilha e o marasquino.
Misture bem e cozinhe mexendo sempre até o doce se
desprender da panela.
Deixe esfriar em uma tigela. Coloque em uma
compoteira e decore com cerejas.

Para 8 pessoas

Marrom-glacê de

batata-doce

Para a calda:

3 xícaras de água

1 1/2 xícara de açúcar

7 gemas

1 clara batida em neve

manteiga para untar

Prepare a calda: misture a água e o açúcar, leve ao fogo sem mexer e faça uma calda grossa com a consistência de mel.

Bata muito bem as gemas. Junte a clara em neve e bata mais um pouco. Unte fôrminhas de empada de 7 cm de diâmetro com manteiga. Encha até a metade. Leve ao forno médio (180ºC), preaquecido, por 10 minutos ou até que, enfiando um palito, ele saia limpo. Desenforme os papos-de-anjo e passe-os na calda de açúcar. Coloque em uma compoteira.

Para 6 pessoas

Papo-de-anjo

Pudim de mamão

1 mamão maduro

4 ovos batidos

2 colheres (sopa) de farinha de trigo

2 colheres (sopa) de manteiga em temp. ambiente

1/2 xícara de açúcar

manteiga para untar

Descasque e tire as sementes do mamão. Corte em pedaços e cozinhe em água suficiente para cobri-lo até ficar macio. Amasse com um garfo. Junte os ovos batidos, a farinha de trigo, a manteiga e o açúcar. Unte com manteiga uma fôrma com buraco no meio de 20 cm de diâmetro. Coloque o pudim. Leve ao forno quente (220°C), preaquecido, por 20 a 25 minutos ou até que, enfiando uma faca, ela saia limpa. Deixe esfriar por 5 minutos. Passe uma faca em volta da fôrma e desenforme o pudim.

Para 8 pessoas

Bolo de mandioca

1 kg de mandioca

3 colheres (sopa) de margarina em temp. ambiente

2 xícaras de açúcar

125 g de coco ralado

1 garrafa de 200 ml de leite de coco

6 gemas

3 claras em neve

1/2 colher (sopa) de fermento em pó

1 pitada de sal

manteiga para untar

farinha de trigo para polvilhar

Rale a mandioca e esprema-a com um guardanapo (o caldo que sai não se aproveita). Passe a mandioca para uma tigela grande e junte todos os ingredientes. Bata bem. Coloque o bolo em uma assadeira de 40 x 26 cm untada com manteiga e polvilhada com farinha de trigo. Leve ao forno médio (180°C), preaquecido, por cerca de 30 minutos ou até que, enfiando um palito, ele saia limpo. Deixe esfriar e corte em pedaços.

Para 12 pessoas

7 gemas

7 colheres (sopa) de açúcar

1 colher (sopa) de manteiga em temperatura ambiente

1/2 coco fresco ralado

1/2 xícara de leite

manteiga para untar

açúcar para polvilhar

Bata as gemas com o açúcar até obter um creme esbranquiçado. Acrescente a manteiga, o coco e o leite. Unte com manteiga e polvilhe com açúcar fôrminhas individuais de 6 cm de diâmetro ou uma fôrma refratária tipo anel de 20 cm de diâmetro. Coloque o quindim. Asse em banho-maria em forno quente (220°C), preaquecido, por 40 minutos. Passe uma faca em volta da fôrma. Desenforme depois de frio.

Para 6 pessoas

Quindim

250 g de manteiga

2 xícaras de açúcar

4 gemas

1 xícara de leite

2 xícaras de farinha de trigo

1 colher (sopa) de fermento em pó

manteiga para untar

Para o recheio:

4 claras

1 xícara de açúcar

250 g de castanha-do-pará

2 xícaras de creme de leite fresco

Bata bem a manteiga até ficar cremosa. Junte o açúcar, a gema, o leite e a farinha de trigo. Bata mais um pouco. Acrescente o fermento em pó. Forre uma fôrma retangular de 41 x 28 cm com papel impermeável untado com manteiga. Coloque a massa.

Prepare o recheio: bata as claras em neve. Junte o açúcar e bata até obter um suspiro firme. Coloque por cima da massa. Corte metade das castanhas-do-pará em lascas finas. Distribua sobre o suspiro. Leve ao forno médio (180°C), preaquecido, por 30 minutos ou até o suspiro dourar. Retire do forno e deixe na fôrma até o dia seguinte.

Desenforme a torta e retire o papel. Divida em duas partes. Recheie com o creme de leite batido em chantilly. Feche a torta. Cubra com o restante do chantilly. Enfeite com as castanhas que sobraram.

Para 20 pessoas

Torta de

castanha-do-pará

Bem-casado

6 ovos separados

6 colheres (sopa) cheias de açúcar

250 g de fécula de batata

1 colher (chá) de fermento em pó

manteiga para untar

farinha de trigo para polvilhar

Para o recheio:

1 litro de leite

1 xícara de açúcar

6 gemas ligeiramente batidas

2 colheres (sopa) de maisena

1 colher (chá) de essência de baunilha

açúcar

Bata as claras em neve. Junte as gemas e bata
novamente até misturar. Acrescente o açúcar e torne
a bater. Acrescente a fécula de batata e o fermento
e misture.

Unte uma assadeira com manteiga e polvilhe com
farinha de trigo. Distribua os biscoitos na assadeira
(1 colher de chá para cada um), deixando um espaço
entre eles. Leve ao forno médio (180°C), preaquecido,
até dourar a parte de baixo. Retire da assadeira
imediatamente e deixe esfriar.

Prepare o recheio: ferva o leite com o açúcar até
reduzir pela metade. Acrescente as gemas e misture.
Passe o recheio por uma peneira. Junte a maisena e
leve novamente ao fogo até engrossar. Acrescente a
baunilha, retire do fogo e deixe esfriar.
Recheie os bem-casados. Passe no açúcar.

Rendimento: 150 bem-casados

Bom-bocado

1/2 kg de açúcar

1 xícara de água

2 colheres (sopa) de manteiga

3 colheres (sopa) de queijo parmesão ralado

6 ovos ligeiramente batidos

3 colheres (sopa) cheias de farinha de trigo peneirada

manteiga para untar

Misture o açúcar com a água e leve ao fogo até ferver e
formar uma calda grossa com a consistência de mel.
Deixe amornar. Junte a manteiga, o queijo, os ovos e a
farinha de trigo. Mexa com uma colher de pau. Coloque
o bom-bocado em fôrminhas de empada de 7 cm de
diâmetro untadas com manteiga. Leve ao forno quente
(220°C), preaquecido, até dourar. Retire do forno e
desenforme ainda quente, passando antes uma faca em
volta dos bons-bocados.

Rendimento: 20 bons-bocados

Mãe-benta de queijo

250 g de manteiga em temp. ambiente

250 g de açúcar

6 gemas

2 claras em neve

1 colher (chá) de casca de limão ralada

3 xícaras de creme de arroz

1 pacote de 50 g de queijo parmesão ralado

Bata a manteiga, o açúcar e as gemas até obter um creme esbranquiçado. Junte as claras em neve, a casca de limão, o creme de arroz e o queijo ralado. Misture bem. Coloque as mães-bentas em fôrminhas de papel e estas dentro de fôrminhas de empada de 7 cm de diâmetro. Leve ao forno médio (180ºC), preaquecido, para assar até ficarem douradas.

Rendimento: 25 mães-bentas

Beijinho de coco

2 xícaras de açúcar

1 xícara de leite

1 colher (sopa) de manteiga

2 xícaras de coco fresco ralado

2 gemas ligeiramente batidas

1 xícara de suco de laranja

1/2 colher (sopa) de casca de laranja ralada

1 colher (chá) de casca de limão ralada

1 colher (chá) de essência de baunilha

açúcar cristal

cravos-da-índia para decorar

Em uma panela, misture o açúcar, o leite e a manteiga e leve ao fogo até ferver, mexendo sempre, por mais ou menos 15 minutos. Retire do fogo, junte o coco, as gemas, o suco de laranja e as cascas de laranja e limão. Leve de volta ao fogo, mexendo sempre. Quando a mistura se desprender do fundo da panela, retire do fogo. Acrescente a essência de baunilha. Deixe esfriar. Faça pequenas bolinhas com as mãos umedecidas para não grudar. Passe em açúcar cristal. Coloque um cravo-da-índia em cima de cada uma delas.

Rendimento: 60 beijinhos

Pé-de-moleque

1 xícara de Karo

2 xícaras de açúcar

3 xícaras de amendoim cru

4 colheres (sopa) de água

2 colheres (chá) de bicarbonato de sódio

manteiga para untar

Misture todos os ingredientes, menos o bicarbonato, em uma panela. Leve ao fogo até o amendoim começar a estalar. Deixe cozinhar em fogo baixo por mais 3 minutos. Acrescente o bicarbonato. Mexa bem, retire do fogo e bata com uma colher de pau por 30 segundos.

Despeje o pé-de-moleque em uma superfície de mármore untada com manteiga e espalhe com uma faca ou espátula de metal. Espere 5 minutos. Com uma faca, faça riscos em forma de losangos.

Quando ficar morno, corte nos pontos marcados anteriormente com a ajuda de um martelinho.

Rendimento: 30 pés-de-moleque

1 kg de figo verde

1/2 colher (sopa) de bicarbonato de sódio

3 xícaras de água

1 kg de açúcar cristal

1 canela em pau

1 cravo-da-índia

Lave os figos. Coloque-os para cozinhar em uma panela grande com água suficiente para cobrir até ferver. Junte o bicarbonato de sódio. Cozinhe por mais 8 minutos e retire a panela do fogo. Tampe e deixe repousar a noite toda.

No dia seguinte, raspe os figos, cuidadosamente, com uma faca. Faça dois pequenos cortes longitudinais, em forma de cruz, em cada figo e com um palito faça furos neles embaixo da água para sair todo o leite. Ponha os figos em uma vasilha com água fresca e deixe durante dois dias, trocando a água várias vezes.

Leve a água e o açúcar cristal ao fogo até formar uma calda rala. Escorra os figos e coloque-os na calda. Leve para cozinhar em fogo baixo. Ferva por 30 minutos. Retire do fogo, tampe a panela e reserve até o dia seguinte.

Volte a panela ao fogo baixo. Junte a canela e o cravo-da-índia e cozinhe até que os figos fiquem macios e transparentes e a calda engrosse. Retire do fogo e deixe esfriar.

Para 8 pessoas

Compota de figo

verde

30 carambolas grandes e maduras

1 kg de açúcar cristal

Lave e enxugue as carambolas. Corte as fibras dos
gomos e as duas extremidades e, com uma faca afiada,
retire os centros e as sementes.
Em uma panela grande, arrume camadas alternadas de
carambola e açúcar cristal. Leve para cozinhar em fogo
baixo, sem mexer, até que a carambola fique macia.
Tire a panela do fogo. Retire uma concha da calda.
Leve para ferver separadamente até ficar dourada.
Espalhe essa calda sobre as carambolas. Deixe esfriar.

Para 15 pessoas

Doce de carambola

Doce de leite da vovó

1 litro de leite

1 kg de açúcar

Em uma panela grande, misture o leite e o açúcar.
Cozinhe mexendo sempre com uma colher de pau até
dar o ponto de bala mole. Para testar, retire um pouco
do doce e coloque em uma tigelinha com água fria.
Ao pegar com a ponta dos dedos, deve formar uma
bolinha que não mantém a forma. Retire o doce de
leite do fogo e bata com a colher de pau até começar
a perder o brilho. Derrame-o em uma superfície de
mármore e espalhe rapidamente com uma faca ou
espátula de metal. Quando estiver morno, corte em
losangos.

Para 8 pessoas

Doce de abóbora com coco

1 kg de abóbora madura sem casca

1 kg de açúcar

1 coco grande ralado

3 cravos-da-índia

Cozinhe a abóbora na água até ficar macia. Escorra a
água. Amasse a abóbora com um garfo. Junte o açúcar,
o coco e os cravos. Leve ao fogo mexendo sempre com
uma colher de pau até desprender do fundo da panela.
Deixe esfriar.

Para 8 pessoas

12 laranjas amargas (grapefruit)

4 laranjas-pera

4 limões sicilianos

3 litros de água

1 kg de açúcar

cravo-da-índia

2 canelas em pau

Descasque as laranjas e os limões. Retire as sementes.
Corte em fatias finas. Leve para cozinhar junto com a
água, o açúcar, o cravo-da-índia e a canela. Conserve a
panela destampada. Mexa de vez em quando. Cozinhe
em fogo baixo por 1 hora ou até que a laranja fique
macia. Apague o fogo e deixe esfriar.

Para 12 pessoas

Doce de

laranja

2 ou 3 mamões bem verdes

açúcar cristal

4 cravos-da-índia

Com uma faca afiada faça riscos nos mamões, de cima a baixo, para sair todo o leite. Deixe repousar por 2 horas. Lave bem os mamões, enxugue, descasque e corte em pedaços regulares, retirando todas as sementes. Lave outra vez. Coloque os pedaços em uma panela. Cubra com água e leve ao fogo até ferver. Escorra. Passe o mamão para uma tigela de louça, cubra com água morna e deixe descansar por 4 horas. Escorra.
Pese o mamão e utilize a mesma quantidade de açúcar cristal. Faça uma calda rala com água e açúcar. Junte os cravos-da-índia e o mamão. Cozinhe em fogo baixo até ficar bem macio. Retire do fogo e deixe descansar até o dia seguinte na própria calda.
Leve de novo ao fogo até os pedaços de mamão ficarem transparentes e a calda grossa. Não mexa. Retire do fogo e deixe esfriar.

Para 8 pessoas

Doce de m

Pães e biscoitos

Pãozinho de milho

1 xícara de fubá

2 xícaras de água

1 pitada de sal

2 tabletes de fermento biológico

1/2 xícara de leite morno

1/2 xícara de óleo

1 ovo batido

4 xícaras de farinha de trigo

manteiga para untar

farinha de trigo para polvilhar

Dissolva o tablete de fermento no leite. Leve o fubá, a água e o sal ao fogo, mexendo sempre para não empelotar. Quando ferver, abaixe o fogo e continue mexendo até que a massa desprenda do fundo da panela. Retire do fogo e deixe esfriar. Acrescente o óleo, o ovo e o fermento e misture bem. Por último, junte a farinha de trigo. Misture. Sove a massa sobre uma superfície polvilhada com farinha de trigo por 10 minutos. Cubra e deixe-a crescer durante 1 hora. Faça os pãezinhos. Coloque-os em assadeira untada com manteiga e polvilhada com farinha de trigo, cubra-os novamente e deixe-os crescer por mais 1 hora. Asse em forno quente (220°C), preaquecido, por cerca de 45 minutos ou até que a parte de baixo esteja dourada.

Rendimento: 40 pãezinhos

Broa de fubá

3 xícaras de leite

3 xícaras de água

6 colheres (sopa) de açúcar

3 colheres (sopa) de margarina

3 xícaras de fubá

1 pitada de sal

6 ovos batidos

manteiga para untar

farinha de trigo para polvilhar

Em uma panela, leve ao fogo o leite, a água, o açúcar, a margarina, o fubá e o sal. Mexa sempre com uma colher de pau. Quando começar a ferver, mexa rapidamente até a mistura se desprender da panela. Deixe esfriar e acrescente os ovos batidos, mexendo bem. Forme pãezinhos redondos de 6 cm de diâmetro. Coloque em uma assadeira untada com manteiga e polvilhada com farinha de trigo. Leve ao forno quente (220°C), preaquecido, por 15 minutos ou até que a parte de baixo esteja dourada.

Rendimento: 30 broas

1/2 xícara de manteiga em temperatura ambiente

1 xícara de açúcar

2 ovos

2 xícaras de farinha de trigo peneirada

3 colheres (chá) de fermento em pó

1 colher (chá) de sal

1 colher (sopa) de suco de limão

1 xícara de castanhas-do-pará picadas

1 xícara de banana-nanica amassada

margarina para untar

farinha de trigo para polvilhar

Bata a manteiga com o açúcar até formar uma mistura homogênea. Junte os ovos e bata mais um pouco. Acrescente a farinha de trigo, o fermento, o sal e o suco de limão. Bata apenas para misturar. Junte as castanhas-do-pará e a banana. Bata mais um pouco.
Despeje em uma fôrma de bolo inglês de 14 x 25 x 7 cm, untada com margarina e polvilhada com farinha de trigo. Leve ao forno médio (180°C), preaquecido, por cerca de 40 minutos ou até que esteja dourado.

Para 10 pessoas

Pão de banana

Pãozinho de cará

1 tablete de fermento biológico

1 xícara de leite morno

1/2 xícara de açúcar

2 ovos

1 colher (sopa) de manteiga em temperatura ambiente

1 colher (sopa) de banha em temperatura ambiente

1 colher (sopa) rasa de sal

1 cará médio sem casca e ralado no ralo grosso

6 xícaras de farinha de trigo

manteiga para untar

farinha de trigo para polvilhar

Dissolva o tablete de fermento no leite morno. Junte o açúcar, os ovos, a manteiga, a banha, o sal e o cará. Misture bem. Acrescente a farinha de trigo até obter uma massa que solte das mãos. Sove um pouco e deixe descansar durante 1 hora para crescer.

Forme pãezinhos redondos de 5 cm de diâmetro. Coloque-os em uma assadeira untada com manteiga e polvilhada com farinha de trigo. Leve para assar em forno quente (220°C), preaquecido, por 15 a 20 minutos ou até que a parte de baixo esteja dourada.

Observação: a quantidade de farinha de trigo vai variar de acordo com o tamanho do cará.

Rendimento: 35 pãezinhos

Pão recheado com queijo

3 xícaras de farinha de trigo

1 colher (sopa) de fermento em pó

1 pitada de sal

2 colheres (sopa) de queijo parmesão ralado

100 g de manteiga em temperatura ambiente

leite

manteiga para untar

1 ovo batido para pincelar

Para o recheio:

queijo-de-minas fresco picado

Em uma tigela, misture a farinha de trigo e o fermento peneirados juntos. Acrescente o sal, o queijo e a manteiga. Com um garfo, vá misturando e adicionando leite até obter uma massa que solte das mãos. Ponha a massa em uma superfície polvilhada com farinha e amasse levemente. Pegue pequenas porções da massa e abra na palma da mão (não deixe a massa ficar muito grossa). Recheie os pães com o queijo-de-minas. Feche e forme uma bolinha. Arrume os pãezinhos em uma assadeira untada. Pincele com o ovo batido. Leve ao forno quente (220°C), preaquecido, por 15 a 20 minutos ou até que a parte de baixo fique dourada. Sirva-os quentinhos.

Rendimento: 20 pãezinhos

Biscoito de aveia

1 xícara de aveia

1 xícara de açúcar

1 xícara de farinha de trigo

1 ovo grande ou 2 pequenos

1 colher (sopa) de manteiga em temperatura ambiente

1 colher (chá) de fermento em pó

margarina para untar

Em uma tigela, misture a aveia, o açúcar e a farinha de trigo. Junte o ovo, a manteiga e o fermento. Misture todos os ingredientes.
Faça pequenas bolinhas de 2 cm de diâmetro. Coloque-as em uma assadeira untada com margarina, deixando um espaço entre elas. Amasse-as com a ajuda de um garfo levemente enfarinhado.
Leve ao forno quente (220°C), preaquecido, por 15 minutos ou até que a parte de baixo esteja dourada. Retire os biscoitos da assadeira e deixe esfriar.

Rendimento: 60 biscoitos

Sequilho de araruta

1 kg de araruta

6 xícaras de açúcar

3 colheres (chá) de fermento em pó

250 g de manteiga em temp. ambiente

6 ovos separados

1 1/2 xícara de farinha de trigo

manteiga para untar

Misture a araruta, o açúcar e o fermento. Faça uma depressão no centro e acrescente a manteiga e as gemas. Trabalhe bem a massa com as mãos.
Bata as claras em neve. Junte à massa. Acrescente a farinha de trigo e continue amassando.
Faça bolinhas de 2 cm de diâmetro. Unte uma assadeira com manteiga. Coloque os sequilhos, deixando um espaço entre eles. Achate-os com as mãos.
Leve ao forno médio (180°C), preaquecido, por 20 minutos ou até que a parte de baixo esteja dourada. Retire da assadeira e deixe esfriar.

Rendimento: 150 sequilhos

Bolachinha de Santo Antônio

1/2 kg de farinha de trigo peneirada

1 xícara de açúcar

250 g de manteiga em temp. ambiente

1/2 xícara de cerveja

margarina para untar

1 clara para pincelar

açúcar cristal para polvilhar

Misture a farinha, o açúcar, a manteiga e a cerveja primeiro com uma colher de pau e depois com as mãos até obter uma massa homogênea.
Em uma superfície polvilhada com farinha de trigo, abra a massa aos poucos. Corte-a em rodelas de 5 cm de diâmetro com a ajuda de um copo ou um cortador de massa. Unte uma assadeira com margarina. Coloque as bolachinhas, deixando um espaço entre elas. Pincele com a clara e polvilhe com o açúcar cristal.
Leve ao forno médio (180°C), preaquecido, por cerca de 15 minutos ou até que a parte de baixo esteja dourada. Retire as bolachinhas da assadeira e deixe esfriar.

Rendimento: 80 bolachinhas

Biscoito de nata

2 xícaras de nata

2 xícaras de polvilho doce

3 xícaras de farinha de trigo

2 ovos

2 colheres (sopa) de açúcar

1 pitada de sal

1 pitada de canela em pó

margarina para untar

Misture todos os ingredientes até formar uma massa homogênea. Faça rolinhos de 3 cm de comprimento. Coloque os biscoitos em uma assadeira untada com margarina, deixando um espaço entre eles. Achate-os com um garfo levemente enfarinhado. Leve ao forno quente (220°C), preaquecido, por cerca de 15 minutos ou até que esteja crescido e ligeiramente dourado. Retire da assadeira e sirva quente.

Rendimento: 80 biscoitos

3 xícaras de farinha de trigo

1 colher (sopa) de fermento em pó

1 xícara de açúcar

100 g de margarina em temperatura ambiente

2 ovos

1/2 colher (chá) de noz-moscada ralada

3 colheres (sopa) de leite

óleo para fritar

açúcar e canela para polvilhar

Peneire a farinha e o fermento em uma tigela. Junte o
açúcar. Faça uma depressão no centro e acrescente a
margarina, os ovos e a noz-moscada. Adicione o leite
aos poucos, misturando com um garfo.
Coloque a massa em uma superfície polvilhada com
farinha de trigo. Amasse até obter uma massa
homogênea. Abra a massa em uma espessura de 1 cm.
Corte-a em rodelas de 6 cm de diâmetro com a ajuda de
um copo ou de um cortador de massa. Faça um buraco
de 2 cm no centro, formando rosquinhas. Frite em
óleo não muito quente até dourar. Escorra as
rosquinhas em papel absorvente. Se desejar, polvilhe
com açúcar e canela.

Rendimento: 35 rosquinhas

Rosquinha de

São João

Dados Internacionais de Catalogação na Publicação (CIP)
(Câmara Brasileira do Livro, SP, Brasil)

Anunciato, Ofélia Ramos
    Ofélia: O sabor do Brasil / texto de Josimar Melo. -- São Paulo :
DBA Artes Gráficas e : Companhia Melhoramentos de São Paulo, 1996.

    ISBN 85-7234-060-2 (DBA Artes Gráficas) -- ISBN 85-06-02506-0 (Companhia
Melhoramentos de São Paulo)

    1. Culinária brasileira I. Melo Josimar. II. Título.

96-2603   CDD-641.5981

Índices para catálogo sistemático:
1. Brasil : Receitas culinárias : Economia doméstica   641.5981
2. Culinária brasileira : Economia doméstica   641.5981

© Copyright 1996

DBA® MELHORAMENTOS

Printed in Brazil

DBA® Dórea Books and Art
Al. Franca 1185 cj 31/32 cep 01422 010
Cerqueira César São Paulo SP Brasil
Tel (011) 852 1643 Fax (011) 280 3361
E-mail: dbabooks@uol.com.br

Companhia Melhoramentos de São Paulo

Atendimento ao consumidor:
Caixa Postal 2547 – cep 01065-970 – São Paulo – SP – Brasil

Edição: 8 7 6 5 4
Ano: 2002 01 00
Ix-XI